JN261588

みんなの日本語
Minna no Nihongo

初級Ⅱ 第2版

標準問題集
(ひょうじゅんもんだいしゅう)

スリーエーネットワーク

© 1999 by 3A Corporation

All rights reserved. No part of this publication may be reproduced, stored in a retrieval system or transmitted in any form or by any means, electronic, mechanical, photocopying, recording, or otherwise, without the prior written permission of the Publisher.

Published by 3A Corporation.
Trusty Kojimachi Bldg., 2F, 4, Kojimachi 3-Chome, Chiyoda-ku, Tokyo 102-0083, Japan

ISBN978-4-88319-663-0 C0081

First published 1999
Second Edition 2013
Printed in Japan

まえがき

　本書は『みんなの日本語　初級Ⅱ　第2版　本冊』の発行に伴い、第2版として発行するものです。『みんなの日本語　初級Ⅱ　第2版　本冊』の各課に沿って、その課の学習事項の確認、整理、定着を図るための基礎的練習問題集です。

　各課の問題はその課の学習の総仕上げとして、教室で、あるいは宿題として利用することにより、学習者の練習量を増やすとともに、各自が自分の達成度を測ることができるよう作られています。

　また、教師が回収してチェックすることにより、学習者の習得状況を把握し、必要に応じて復習の時間を設けたり、個別指導をするなど、日々の学習活動の充実に役立てていただけるよう配慮されています。

　各課の2ページの問題のほかに、復習やテストとして使えるまとめの問題を入れました。（26～33課、34～42課、43～50課、26～50課）

　表記は原則として『みんなの日本語　初級Ⅱ　第2版　本冊』に倣い、漢字にはすべてふりがなを付けました。

　本教材をお使いになってみてのご意見・ご感想などをお寄せいただければ幸いです。

2013年6月

株式会社スリーエーネットワーク

第26課　　　　　　　　　　　　　　名前

1. 例：シャワー（の）お湯（が）出ません。
1) 9時半（　）新幹線（　）間に合いませんでした。
2) 学校（　）遅れたことがありますか。
3) 気分（　）悪いんですが、帰ってもいいですか。
4) エアコンの調子が悪いんですが、どこ（　）連絡したらいいですか。
5) ごみは駐車場（　）横（　）ごみ置き場（　）出してください。

2.
```
いいです，悪かったです，下手です，病気です，遅れました
故障しました，書きます，来ませんでした，休みじゃありません
食べません，捜しています，ありません，しています
```

例：何を<u>捜している</u>んですか。…ここに置いた手帳がないんです。
1) どうしてケーキを＿＿＿＿＿んですか。…今ダイエットを＿＿＿＿＿んです。
2) どうして会議の時間に＿＿＿＿＿んですか。…車が＿＿＿＿＿んです。
3) 先週のお花見、どうして＿＿＿＿＿んですか。
　…ちょっと都合が＿＿＿＿＿んです。
4) 土曜日遊びに来ませんか。…すみません。今度の土曜日は＿＿＿＿＿んです。
5) 今晩飲みに行きませんか。…すみません。妻が＿＿＿＿＿んです。
6) いつもパソコンで手紙を＿＿＿＿＿んですか。
　…ええ、わたしは字が＿＿＿＿＿んです。

3. 例：けさは ｛何か, ⓗ何も, 何でも｝ 食べませんでした。
1) 朝はいつも5時ごろ起きます。
　… ｛特に, ずいぶん, たくさん｝ 早いんですね。
2) ｛今度, 最近, もうすぐ｝ の日曜日に ｛どこでも, どこか, どこへ｝
　遊びに行きませんか。
　…ええ、いいですね。
3) 高橋さん、その手帳、いいですね。わたしも ｛こんな, そんな, あんな｝
　手帳が欲しいんですが、どこで買ったんですか。
　…エドヤストアです。手帳の ｛乗り場, 置き場, 売り場｝ は1階の奥にあります。

4. 例：たばこを吸ってもいいですか。
　　　　…すみません。ここは禁煙なんです。

1) 食事に行きませんか。
　　…すみません。今ちょっとおなかが＿＿＿＿＿＿＿＿＿＿＿＿＿＿＿＿＿＿＿＿

2) よくテレビを見ますか。
　　…いいえ、あまり見ません。時間が＿＿＿＿＿＿＿＿＿＿＿＿＿＿＿＿＿＿＿

3) きれいな桜の写真ですね。
　　…ええ。奈良のお寺で＿＿＿＿＿＿＿＿＿＿＿＿＿＿＿＿＿＿＿＿＿＿＿＿＿

4) ずいぶんにぎやかですね。
　　…ええ。隣の部屋でパーティーを＿＿＿＿＿＿＿＿＿＿＿＿＿＿＿＿＿＿＿＿

5) 自分で食事を作りますか。
　　…いいえ。料理があまり＿＿＿＿＿＿＿＿＿＿＿＿＿＿＿＿＿＿＿＿＿＿＿＿

5.
| 行きたいです，見たいです，ありません，遅れました，できません，故障です |
| 痛いです，しなければなりません，書きました，習いたいです，結婚します |

例1：相撲を見たいんですが、どこでチケットを（買います…買ったらいいですか）。

例2：細かいお金がないんですが、200円（貸します…貸していただけませんか）。

1) 日本人の友達が＿＿＿＿＿＿＿＿＿＿＿が、どんなプレゼントを
　　（あげます…　　　　　　　　　　）。

2) 頭が＿＿＿＿＿＿＿＿＿＿＿が、どの薬を（飲みます…　　　　　　　　　　）。

3) 国会議事堂へ＿＿＿＿＿＿＿＿＿＿＿が、地図を（かきます…　　　　　　　）。

4) 10時までに会議の準備を＿＿＿＿＿＿＿＿＿＿＿が、
　　（手伝います…　　　　　　　　　　）。

5) お茶を＿＿＿＿＿＿＿＿＿＿＿が、いい先生を（紹介します…　　　　　　　）。

6) 日本語でレポートを＿＿＿＿＿＿＿＿＿＿＿が、ちょっと
　　（見ます…　　　　　　　　　　）。

7) 2階の事務所のパソコンが＿＿＿＿＿＿＿＿＿＿＿が、どう
　　（します…　　　　　　　　　　）。

8) きょうは修理が＿＿＿＿＿＿＿＿＿＿＿が、あしたまで
　　（待ちます…　　　　　　　　　　）。

第27課

名前

1. 例：

ます形	可能形ます	可能形
飲みます	飲めます	飲める
1)	見られます	
2) 建てます		
3)	立てます	
4)		走れる
5) 借ります		
6)	捜せます	
7) 連絡します		

ます形	可能形ます	可能形
8) 起きます		
9)	置けます	
10)		開ける
11) 来ます		
12)	着られます	
13)		飼える
14) 換えます		
15)	呼べます	

2. 例：きょうは車で来ましたから、お酒が<u>飲めません</u>。

1) 簡単な料理だったら、自分で＿＿＿＿＿＿＿＿＿＿
2) 早く漢字を覚えたいですが、なかなか＿＿＿＿＿＿＿＿＿＿
3) また会いたいですね。今度いつ＿＿＿＿＿＿＿＿＿＿
4) 去年は忙しかったですから、長い旅行に＿＿＿＿＿＿＿＿＿＿

3. 例：日本語で電話をかけることができますか。
　　　…日本語で電話がかけられますか。

1) 自分で自転車を修理することができますか。
　　…＿＿＿＿＿＿＿＿＿＿＿＿＿＿＿＿＿＿
2) あの人の名前を思い出すことができません。
　　…＿＿＿＿＿＿＿＿＿＿＿＿＿＿＿＿＿＿
3) あした10時ごろ来ることができると思います。
　　…＿＿＿＿＿＿＿＿＿＿＿＿＿＿＿＿＿＿
4) 一人で病院へ行くことができなかったんです。
　　…＿＿＿＿＿＿＿＿＿＿＿＿＿＿＿＿＿＿
5) 10時までに帰ることができたら、電話をください。
　　…＿＿＿＿＿＿＿＿＿＿＿＿＿＿＿＿＿＿
6) タワポンさんは泳ぐことができないと言いました。
　　…＿＿＿＿＿＿＿＿＿＿＿＿＿＿＿＿＿＿

3

4. 例：空港（まで）電車（で）行けます。

1) 駅の近く（　）大きいマンション（　）できました。
2) 2階の窓（　）お祭りの花火（　）見えます。
3) ここは波の音（　）よく聞こえます。
4) すみませんが、もう少し大きい声（　）話していただけませんか。
5) 時計の修理（　）いつできますか。
　　…3日後（　）できます。

5. 例：夜どのくらい勉強しますか。…30分ぐらい<u>しか勉強しません</u>。

1) 冷蔵庫に卵がいくつありますか。…2つ＿＿＿＿＿＿＿＿＿＿＿＿＿＿＿＿
2) どんな料理が作れますか。…カレー＿＿＿＿＿＿＿＿＿＿＿＿＿＿＿＿＿
3) きのうの晩はよく寝られましたか。…いいえ、2時間ぐらい＿＿＿＿＿＿
4) きのうの晩はたくさん飲みましたか。…いいえ、少し＿＿＿＿＿＿＿＿

6. 例：このマンションで鳥や犬が飼えますか。（小さい鳥…○　犬…×）
　　　　…（小さい鳥は飼えますが、犬<u>は</u>飼えません）。

1) 木村さんの住所と電話番号がわかりますか。（住所…○　電話番号…×）
　　…（　　　　　　　　　　　　　　　　　　　　　　　　　　　　）。
2) スポーツが好きですか。（ゴルフ…○　ほかのスポーツ…×）
　　…（　　　　　　　　　　　　　　　　　　　　　　　　　　　　）。
3) コーヒーに砂糖とミルクを入れますか。（ミルク…○　砂糖…×）
　　…（　　　　　　　　　　　　　　　　　　　　　　　　　　　　）。
4) よく肉を食べますか。（とり肉…○　牛肉や豚肉…×）
　　…（　　　　　　　　　　　　　　　　　　　　　　　　　　　　）。
5) 図書館で雑誌が借りられますか。（古いの…○　新しいの…×）
　　…（　　　　　　　　　　　　　　　　　　　　　　　　　　　　）。

第28課

名前 _____

1. 例：道を歩きながらたばこを吸わないでください。
　1）本を_____ながらバスを待っていました。
　2）ガムを_____ながら運転すると、あまり眠くなりません。
　3）彼女は銀行で_____ながら小説を書きました。
　4）彼はアルバイトを_____ながら大学に通っています。
　5）いつも友達と昼ごはんを_____ながらいろいろな話をしています。

2. 例：水曜日の夜はいつもダンスを習いに（行っています）が、きょうは行けません。
　1）毎朝8時15分の電車に（　　　　　　　　　）が、けさは8時の電車に乗りました。
　2）パンはいつも駅の前のパン屋で（　　　　　　　　　）が、きのうはスーパーで買いました。
　3）国ではよくドラマを（　　　　　　　　　）が、日本へ来てから、ニュースしか見ません。
　4）学生のとき、よく小説を（　　　　　　　　　）が、会社に入ってから、あまり読みません。
　5）休みの日はたいていプールで泳いだり、テニスを（　　　　　　　　　）が、きのうは何もしませんでした。

3.
```
まじめです，偉いです，熱心です，あります，近いです
できます，話せません，きれいです，ありません
```
　例：車の運転もできるし、力もあるし、弟に引っ越しを手伝ってもらいます。
　1）わたしは経験も_____し、日本語もあまり_____し、この仕事は無理です。
　2）彼女は_____し、_____し、早く日本語が上手になると思います。
　3）引っ越ししたマンションはどうですか。
　　…駅から_____し、新しくて、_____し、ペットも飼えるんです。

5

4. 例：A：どうしてこのマンションを選んだんですか。（広いです・車が置けます）
　　　B：広いし、車も置けるし、{それに、それで} ペットも飼えるんです。

　1) A：よくこの料理を作るんですか。（おいしいです・簡単です）
　　　B：ええ。＿＿＿＿＿＿＿＿＿＿し、＿＿＿＿＿＿＿＿＿＿し、
　　　　　{それに、それで} 子どもも好きなんです。

　2) A：このコート、いかがですか。（形がいいです・色がきれいです）
　　　B：そうですね。＿＿＿＿＿＿＿＿＿＿し、＿＿＿＿＿＿＿＿＿＿し、
　　　　　{それに、それで} サイズもちょうどいいですね。

　3) A：どうしてこの店はよく売れるんですか。（値段が安いです・店の人がとても親切です）
　　　B：＿＿＿＿＿＿＿＿＿＿し、＿＿＿＿＿＿＿＿＿＿から。
　　　A：{それに、それで} いつも人が多いんですね。

　4) A：ワットさんはいい先生ですね。（教え方が上手です・ユーモアがあります）
　　　B：ええ。＿＿＿＿＿＿＿＿＿＿し、＿＿＿＿＿＿＿＿＿＿し、
　　　　　{それに、それで} とても熱心なんです。
　　　C：{それに、それで} 学生に人気があるんですね。

5. 例：仕事もおもしろいし、給料も高いし、将来もこの会社で働きたいです。
　1) 頭＿＿＿＿＿＿＿＿＿＿し、熱＿＿＿＿＿＿＿＿＿＿し、たぶんかぜだと思います。
　2) おなか＿＿＿＿＿＿＿＿＿＿し、のど＿＿＿＿＿＿＿＿＿＿し、
　　　あのレストランに入りませんか。
　3) ここは駅から＿＿＿＿＿＿＿＿＿＿し、店＿＿＿＿＿＿＿＿＿＿し、とても不便です。
　4) 体の調子＿＿＿＿＿＿＿＿＿＿し、お金＿＿＿＿＿＿＿＿＿＿し、旅行に行けません。
　5) 声＿＿＿＿＿＿＿＿＿＿し、ダンス＿＿＿＿＿＿＿＿＿＿し、
　　　あの歌手はとても人気があります。

6. きのう近くの公園へ花見に行きました。日曜日で、天気がよかったですから、
　公園はすごい人でした。みんな花を（例：見ます…見）ながら
　（a．食べます…　　　　　）り、（b．飲みます…　　　　　）り、
　（c．します…　　　　　）いました。カラオケで歌っている人も
　（d．います…　　　　　）し、（e．歌います…　　　　　）ながら踊って
　いる人もいました。

第29課　名前

1. 例：この店（で）はカード（で）買い物できません。
1) このスーパー（　）夜9時（　）開いています。
2) 電車の網棚（　）忘れ物（　）してしまいました。
3) このかばん（　）はポケット（　）たくさん付いています。
4) 切符をなくしたら、駅員（　）言ってください。
5) どこか（　）ちょっと休みませんか。
6) パンチはどこですか。
　　…えーと、どこか（　）あると思いますよ。

2. 例：{ガラス, ⓒップ, お皿} でビールを飲みます。
1) {ちゃわん, 袋, 木の枝} が折れています。
2) {ガラス, ちゃわん, シャツ} が破れてしまいました。
3) {ボタン, ポケット, 財布} が外れていますよ。
4) コップが {割れました, 折れました, 破れました}。
5) 傘が {割れて, 壊れて, 故障して} しまいました。

3. 例：時計が（止まっています）から、時間がわかりません。
1) エアコンが（　　　　　　　　）から、窓を開けないでください。
2) コップが（　　　　　　　　）から、洗ってください。
3) 隣のうちは電気が（　　　　　　　　）から、だれもいないと思います。
4) コピー機が（　　　　　　　　）から、修理してもらわなければなりません。
5) 寒いですね。…あ、窓が（　　　　　　　　）から、閉めましょう。
6) 会議室はかぎが（　　　　　　　　）から、入れませんでした。
7) あそこに大きい車が（　　　　　　　　）んですが、だれが止めたんですか。
8) このかばん、ずいぶん重いですね。何が（　　　　　　　　）んですか。

4. 例：ちょっとお茶でも飲みませんか。
　　　…この資料をメールで送ってしまいますから、ちょっと待っていただけませんか。
　1) ミラーさんにもらったケーキは？
　　　…もう全部＿＿＿＿＿＿＿＿＿＿＿＿＿＿
　2) その本、おもしろいですか。
　　　…ええ。わたしはもう＿＿＿＿＿＿＿＿＿＿＿＿＿＿から、貸しましょうか。
　3) いっしょに帰りませんか。
　　　…すみません。あしたの会議の準備を＿＿＿＿＿＿＿＿＿＿＿＿＿＿から、お先にどうぞ。
　4) レポートはもう書きましたか。
　　　…いいえ、まだです。あしたから忙しくなりますから、今晩＿＿＿＿＿＿＿＿＿＿＿＿＿＿
　5) 部長は何時に出かけるんですか。
　　　…もう＿＿＿＿＿＿＿＿＿＿＿＿＿＿よ。

5.
　落とします，捨てます，結婚します，まちがえます
　破れます，忘れます，折れます，売れます

　例：あの人の名前、きのう聞いたんですが、<u>忘れてしまいました</u>。
　1) わたしが結婚したかった人は、ほかの人と＿＿＿＿＿＿＿＿＿＿＿＿＿＿
　2) ここに置いた雑誌がないんですが……。
　　　…あ、すみません。ごみの日に＿＿＿＿＿＿＿＿＿＿＿＿＿＿
　3) 袋が＿＿＿＿＿＿＿＿＿＿＿＿＿＿んですが、取り替えていただけませんか。
　4) すみませんが、細かいお金を200円貸していただけませんか。どこかで財布を
　　　＿＿＿＿＿＿＿＿＿＿＿＿＿＿んです。
　5) この靴、デザインはいいんですが、色がちょっと……。黒いのはありませんか。
　　　…すみません。あったんですが、＿＿＿＿＿＿＿＿＿＿＿＿＿＿
　6) 遅かったですね。どうしたんですか。
　　　…すみません。道を＿＿＿＿＿＿＿＿＿＿＿＿＿＿んです。

第30課

名前

1. 例：キャッシュカード（は）財布（に）入っています。

1）授業（　）まえに、予習しておきます。
2）授業（　）終わったら、復習しておいてください。
3）予定表（　）来月の予定（　）書いておきます。
4）池（　）周り（　）桜の木（　）植えてあります。
5）廊下（　）壁（　）お知らせ（　）はっておきました。
6）子どもは甘い物が好きですね。ケーキ（　）チョコレート（　）……。

2.

例：本棚に本が並べてあります。

1）部屋の真ん中に＿＿＿＿＿＿＿＿＿＿あります。
2）本棚の上に＿＿＿＿＿＿＿＿＿＿あります。
3）壁にわたしが好きな歌手の＿＿＿＿＿＿＿＿＿＿あります。
4）ポスターの横に＿＿＿＿＿＿＿＿＿＿あります。
5）エアコンが＿＿＿＿＿＿＿＿＿＿あります。
6）窓が＿＿＿＿＿＿＿＿＿＿あります。

3. 例：スキー旅行のお知らせはどこですか。（あそこ・はります）…あそこにはってあります。
　　1）会議の資料はどこですか。（あの箱・入れます）
　　　　…＿＿＿＿＿＿＿＿＿＿＿＿＿＿＿＿＿＿＿＿＿＿＿＿＿＿＿＿
　　2）非常袋はどこですか。（玄関・置きます）
　　　　…＿＿＿＿＿＿＿＿＿＿＿＿＿＿＿＿＿＿＿＿＿＿＿＿＿＿＿＿
　　3）松本さんの車はどこですか。（地下の駐車場・止めます）
　　　　…＿＿＿＿＿＿＿＿＿＿＿＿＿＿＿＿＿＿＿＿＿＿＿＿＿＿＿＿
　　4）カレンダーはどこですか。（ドアの左・掛けます）
　　　　…＿＿＿＿＿＿＿＿＿＿＿＿＿＿＿＿＿＿＿＿＿＿＿＿＿＿＿＿

4. 例：友達が来るまえに、部屋を掃除しておきます。
　　1）あした登る山は初めてですから、地図をよく＿＿＿＿＿おきます。
　　2）あさっての夜ＩＭＣの部長と食事しますから、レストランを＿＿＿＿＿おきます。
　　3）飲み物はパーティーの時間まで冷蔵庫に＿＿＿＿＿おきます。
　　4）コップが汚れていますから、＿＿＿＿＿おきます。

5. 例：部屋はあとでわたしが片づけますから、そのままにしておいてください。
　　1）はさみやセロテープを使ったら、元の所に＿＿＿＿＿おいてください。
　　2）使わない部屋の電気は＿＿＿＿＿おいてください。
　　3）エアコンがついていますから、窓は＿＿＿＿＿おきましょう。
　　4）アメリカへ出張するまえに、どんな準備を＿＿＿＿＿おいたらいいですか。

6. います，あります，おきます

　　例：テーブルの上にケーキの箱が置いてありますから、冷蔵庫に入れておいてください。
　　1）ごみの日はあしたなんですが、今晩出して＿＿＿＿＿もいいですか。
　　2）この手紙、切手がはって＿＿＿＿＿から、はってから、出してください。
　　3）あそこに来週の予定が書いて＿＿＿＿＿から、見て＿＿＿＿＿ください。
　　4）試験までにこの本を読んで＿＿＿＿＿なければなりません。
　　5）新幹線の時間を調べて＿＿＿＿＿ましょうか。…ええ、お願いします。
　　6）あそこに止まって＿＿＿＿＿車、だれか乗って＿＿＿＿＿か。
　　　　…いいえ、だれも乗って＿＿＿＿＿

第31課

名前

1.

例：	休みます	休もう		7)	残ります	
1)	続けます			8)		降りよう
2)		戻そう		9)	使います	
3)	休憩します			10)	見つけます	
4)	起きます			11)		並べよう
5)		置こう		12)	選びます	
6)	持って来ます			13)	持ちます	

2. 例：疲れましたから、ちょっと休みましょう。→<u>疲れたから、ちょっと休もう。</u>

1) 時間がありませんから、急ぎましょう。→＿＿＿＿＿＿＿＿＿＿

2) おいしいワインをもらいましたから、いっしょに飲みましょう。

　　→＿＿＿＿＿＿＿＿＿＿＿＿＿＿＿＿＿＿＿＿＿＿

3) カリナさんがまだ来ていませんから、もう少し待ちましょう。

　　→＿＿＿＿＿＿＿＿＿＿＿＿＿＿＿＿＿＿＿＿＿＿

4) 暑いですから、エアコンをつけておきましょう。

　　→＿＿＿＿＿＿＿＿＿＿＿＿＿＿＿＿＿＿＿＿＿＿

5) あしたは休みですから、東京スカイツリーに行きませんか。

　　→＿＿＿＿＿＿＿＿＿＿＿＿＿＿＿＿＿＿＿＿＿＿

　　…ええ、行きましょう。→うん、＿＿＿＿＿＿＿＿＿＿＿＿＿＿

6) あの喫茶店に入りませんか。→＿＿＿＿＿＿＿＿＿＿＿＿＿＿＿＿

　　…ええ、そうしましょう。→うん、＿＿＿＿＿＿＿＿＿＿＿＿＿

3. 例：連休は近くの温泉に行こうと思っています。

1) 会社をやめて、もう一度大学で＿＿＿＿＿＿＿＿＿＿と思っています。

2) 今度の休みは子どもを動物園へ＿＿＿＿＿＿＿＿＿＿と思っています。

3) 庭があるうちに引っ越ししましたから、犬を＿＿＿＿＿＿＿＿＿＿と思っています。

4) ミラーさんにおいしいケーキの作り方を教えてもらいましたから、自分で

　　＿＿＿＿＿＿＿＿＿＿と思っています。

5) 先週見に行ったマンションを＿＿＿＿＿＿＿＿＿＿と思っています。駅から近いし、家賃も安いですから。

4. 例：結婚したら、両親といっしょに住みますか。…いいえ、別々に住むつもりです。

1) これからも今の研究を続けますか。

　…ええ、将来もずっと_____つもりです。

2) 来年大学院の試験を受けますか。…いいえ、_____つもりです。

3) 大阪まで新幹線で行きますか。…いいえ、車で_____つもりです。

4) 夏休みにアルバイトをしますか。

　…いいえ、アルバイトは_____つもりです。
　試験勉強をしなければならないんです。

5. 例1：転勤はいつですか。（来年の3月です）…（来年の3月の）予定です。
例2：飛行機は何時に着きますか。（4時25分に着きます）

　…（4時25分に着く）予定です。

1) 会議は何時に終わりますか。（4時に終わります）

　…（　　　　　　　　　　）予定です。

2) 結婚式は何時までですか。（2時までです）…（　　　　　　　　　　　　）予定です。

3) 課長の午後の予定がわかりますか。（支店へ行きます）

　…（　　　　　　　　　　）予定です。

4) 夏休みは何をしますか。（1週間北海道を旅行します）

　…（　　　　　　　　　　）予定です。

5) スキー旅行に行く人は何人ぐらいですか。（50人ぐらいです）

　…（　　　　　　　　　　）予定です。

6. 例：レポートの資料はもう集めましたか。

　…いいえ、まだ集めていません。これから集めるつもりです。

1) ＩＭＣの松本さんはもう来ましたか。

　…いいえ、まだ_____。3時ごろ_____予定です。

2) 結婚についてもう両親に話しましたか。

　…いいえ、まだ_____。今度国へ帰ったとき、_____

　つもりです。

3) 林さんにあげるプレゼントはもう決めましたか。

　…いいえ、まだ_____。直接林さんに欲しい物を聞いてから、

　_____と思っています。

第32課

1. 例：駅まで歩いて5分（で）行けます。

1）弟はさくら大学（　　）合格しました。
2）ここは車の音（　　）うるさいです。
3）スキーに行って、足（　　）けが（　　）してしまいました。
4）外国旅行のとき、お金は現金（　　）持って行かないほうがいいですよ。
5）やけど（　　）したら、すぐ水道の水（　　）冷やしてください。
6）かぜ（　　）ひいたんですか。…ええ、せき（　　）出て、熱もあるんです。

2. 例1：連休は込みますから、早くホテルを<u>予約した</u>ほうがいいです。
　　例2：かぜの薬を飲んだら、車を<u>運転しない</u>ほうがいいですよ。

1）やまと美術館には駐車場がありませんから、電車で＿＿＿＿＿＿＿ほうがいいですね。
2）その牛乳はちょっと古いですから、＿＿＿＿＿＿＿ほうがいいですよ。
3）夕方は雨だと思いますから、傘を＿＿＿＿＿＿＿ほうがいいですよ。
4）熱があるときは、運動は＿＿＿＿＿＿＿ほうがいいですよ。
5）地図を見ても、よくわかりませんね。
　　…そうですね。あそこの交番で＿＿＿＿＿＿＿ほうがいいですね。

3. 例：よく晴れていますから、今夜はきっと星が<u>きれい</u>でしょう。

1）イーさんは独身ですか。
　　…ええ、たぶん＿＿＿＿＿＿＿でしょう。
2）今度のパーティー、お客さんのお皿は何枚ぐらいあったら、足りますか。
　　…そうですね。30枚ぐらいあったら、＿＿＿＿＿＿＿でしょう。
3）今週の土曜日は休めますか。
　　…忙しいですから、たぶん＿＿＿＿＿＿＿でしょう。
4）山田さんはまだ来ていないんですか。
　　…もう9時ですから、もうすぐ＿＿＿＿＿＿＿でしょう。
5）6月に北海道へ行くんですが、寒いでしょうか。
　　…そうですね。6月はそんなに＿＿＿＿＿＿＿でしょう。
6）国際結婚は大変だと思いますか。
　　…ええ、ことばの問題もあるし、食べ物も違うし、きっと＿＿＿＿＿＿＿でしょう。

4. 例：コートを持って行くんですか。
　　　　…ええ。夜は寒くなるかもしれませんから。

1) 約束の時間に間に合うでしょうか。
　　…こんなに道が込んでいますから、＿＿＿＿＿＿＿＿＿＿かもしれません。

2) 寒いですね。
　　…ええ。今夜は雪が＿＿＿＿＿＿＿＿＿＿かもしれませんね。

3) この傘、だれかの忘れ物ですか。
　　…そうですね。きのう来たミラーさんの＿＿＿＿＿＿＿＿＿＿かもしれませんね。

4) 4万円ぐらいでマンションを借りたいんですが、無理でしょうか。
　　…うーん、ちょっと＿＿＿＿＿＿＿＿＿＿かもしれませんよ。

5) 来年会社を＿＿＿＿＿＿＿＿＿＿かもしれません。
　　…やめて、何をするんですか。

6) 友達の結婚式のとき、この服を着ようと思っているんですが、おかしいでしょうか。
　　…そうですね。日本ではちょっと＿＿＿＿＿＿＿＿＿＿かもしれませんよ。

7) ずっと暑い日が続いていますね。
　　…そうですね。しばらく暑い日が＿＿＿＿＿＿＿＿＿＿かもしれませんよ。

5.
帰れません，インフルエンザです，仕事のストレスです
失敗します，忙しいです，安くなります

例：インフルエンザかもしれませんから、早く病院へ（行きます…行った）ほうが
　　いいですよ。

1) 5時までに本社に＿＿＿＿＿＿＿＿＿＿かもしれませんから、電話で
　　（連絡します…　　　　　　　）ほうがいいですね。

2) 来週は＿＿＿＿＿＿＿＿＿＿かもしれませんから、これは今週
　　（やってしまいます…　　　　　　　）ほうがいいですね。

3) このパソコンはもっと＿＿＿＿＿＿＿＿＿＿かもしれませんから、まだ
　　（買いません…　　　　　　　）ほうがいいでしょう。

4) 最近体の調子がよくないんです。
　　…＿＿＿＿＿＿＿＿＿＿かもしれませんよ。
　　あまり（無理をしません…　　　　　　　）ほうがいいですよ。

14

第33課

名前

1.

例：投げます	投げろ	投げるな
1)		乗るな
2)	見ろ	
3) 飲みます		
4) 出ます		
5)	出せ	
6)		運動するな
7) 浴びます		
8)	行け	
9) 連れて来ます		
10)		待つな

2. 例：手（に）やけど（を）してしまいました。

1) この漢字（　）何（　）読みますか。
2) あそこ（　）「止まれ」（　）書いてあります。
3) スキー（　）行ったら、けが（　）注意してください。
4) 山田さん（　）今席（　）外しています。
5) 今度のミーティング（　）出席できますか。

3. わたしが子どものとき、父はよく

　例1：規則を（守る…守れ）
　例2：電車の中で（騒がない…騒ぐな）
　1) 自分のことは自分で（する…　　　　）
　2) 失敗しても、（あきらめない…　　　　）
　3) たくさん本を（読む…　　　　）
　4) 約束の時間に（遅れない…　　　　）

と言いました。

4. 例：「学生割引」は<u>学生は安くなる</u>という意味です。
   1)「無料」は＿＿＿＿＿＿＿＿＿＿＿＿＿＿＿＿＿という意味です。
   2)「禁煙」は＿＿＿＿＿＿＿＿＿＿＿＿＿＿＿＿＿という意味です。
   3)「使用中」は＿＿＿＿＿＿＿＿＿＿＿＿＿＿＿＿＿という意味です。
   4)「立入禁止」は＿＿＿＿＿＿＿＿＿＿＿＿＿＿＿＿＿という意味です。

5. 例：林さんはどこへ行ったんですか。（食事に行きます）
   …<u>食事に行く</u>と言っていました。
   1) 渡辺さんはまだコピーしているんですか。（もうすぐ終わります）
      …＿＿＿＿＿＿＿＿＿＿＿＿＿＿＿＿＿と言っていました。
   2) ミラーさんは渡辺さんの結婚式に出席するんですか。（出席できません）
      …＿＿＿＿＿＿＿＿＿＿＿＿＿＿＿＿＿と言っていました。
   3) 松本さんは体の調子が悪いんですか。（あまりよくないです）
      …＿＿＿＿＿＿＿＿＿＿＿＿＿＿＿＿＿と言っていました。
   4) 電気屋の人はいつエアコンの修理ができると言いましたか。（修理は無理です）
      …＿＿＿＿＿＿＿＿＿＿＿＿＿＿＿＿＿と言っていましたよ。
   5) ワットさんは何か言っていましたか。（駐車違反の罰金を15,000円払いました）
      …＿＿＿＿＿＿＿＿＿＿＿＿＿＿＿＿＿と言っていました。

6. 例：（出張の準備はもうできました→課長）
   …<u>課長に出張の準備はもうできた</u>と伝えていただけませんか。
   1) （15分ぐらい遅れます→林さん）
      …＿＿＿＿＿＿＿＿＿＿＿＿＿＿＿＿＿と伝えていただけませんか。
   2) （5時までに会社に戻れません→ミラーさん）
      …＿＿＿＿＿＿＿＿＿＿＿＿＿＿＿＿＿と伝えていただけませんか。
   3) （次のミーティングは来週の木曜日です→山田さん）
      …＿＿＿＿＿＿＿＿＿＿＿＿＿＿＿＿＿と伝えていただけませんか。
   4) （みんな元気です→サントスさん）
      …＿＿＿＿＿＿＿＿＿＿＿＿＿＿＿＿＿と伝えていただけませんか。
   5) （インドネシアのお菓子はとてもおいしかったです→カリナさん）
      …＿＿＿＿＿＿＿＿＿＿＿＿＿＿＿＿＿と伝えていただけませんか。

復習 (26〜33課)

名前　　　　　　　　　　　／100点

1.　　　　　　　　　　　　　　　　　　　　　　　　　　　　　　（1×20＝20）

例：	走ります	走れる	走ろう	走れ	走るな
1)	借ります			借りろ	
2)	あきらめます	あきらめられる			あきらめるな
3)	話します		話そう		
4)	運転します			運転しろ	運転するな
5)	来ます				来るな
6)	置きます		置こう		
7)	起きます	起きられる		起きろ	
8)	立ちます	立てる	立とう		

2. 例：きのうは授業（に）遅れてしまいました。　　　　　　（1×23＝23）

1) ごみは駐車場の横（　　）出してください。
2) 海の上（　　）空港（　　）できました。
3) 子どもが大きい声（　　）歌を歌っています。
4) 先生の声（　　）よく聞こえません。
5) 今度のスキー旅行（　　）行きたいんですが、だれ（　　）申し込んだらいいですか。
6) 簡単な漢字（　　）書けますが、複雑な漢字（　　）書けません。
7) 部屋（　　）きれいだし、家賃（　　）安いし、このマンションを借りようと思います。
8) 道（　　）込んでいましたから、約束の時間（　　）間に合いませんでした。
9) テーブル（　　）上（　　）花（　　）飾ってあります。
10) 入学式は12時まで（　　）予定です。
11) この料理は簡単ですから、10分（　　）できます。
12) あそこ（　　）書いてある漢字は何（　　）読みますか。
13) すみませんが、山田さん（　　）会議はあした（　　）なった（　　）伝えていただけませんか。

3. (1×23=23)

例：今度の土曜日は都合が（悪いです…悪い）んですが、予定を（変えます…変えて）いただけませんか。

1) ガスが（つきません…　　　　　　）んですが、どこに（連絡します…　　　　　　）らいいですか。

2) ここは（静かです…　　　　　　）し、緑も（多いです…　　　　　　）し、それに、物価も（安いです…　　　　　　）んです。

3) 飲み物は冷蔵庫に（入れます…　　　　　　）ありますから、出して、テーブルに（並べます…　　　　　　）おいてください。

4) 勉強が忙しいですから、夏休みはどこへも（行きません…　　　　　　）つもりです。

5) どこかで手帳を（なくします…　　　　　　）しまいました。

6) （働きます…　　　　　　）ながら大学で（勉強します…　　　　　　）と思っています。

7) 暇になったら、ピアノを（習います…　　　　　　）と思っています。

8) 自転車で学校に（通います…　　　　　　）つもりですが、雨の日は（大変です…　　　　　　）かもしれません。

9) 道が（すきます…　　　　　　）いますから、早く（着きます…　　　　　　）かもしれません。

10) 熱があったら、早く帰って、（休みます…　　　　　　）ほうがいいですよ。

11) 体の調子が悪いときは、無理を（しません…　　　　　　）ほうがいいですよ。

12) 部長はまだ（来ます…　　　　　　）いません。10時に（来ます…　　　　　　）予定です。

13) 高橋さんは渡辺さんの結婚式に（出席できません…　　　　　　）と言っていました。

14) 「使用禁止」は（使ってはいけません…　　　　　　）という意味です。

15) ミラーさんは一人でここまで（来られます…　　　　　　）でしょうか。

4. 例：窓を開けます…窓が開きます　　　　　　　　　　　　　　　　（1×5＝5）

1) 授業を始めます…授業が_____
2) 会議を続けます…会議が_____
3) ドアを閉めます…ドアが_____
4) 部屋を_____…部屋が片づきます
5) 車を_____…車が止まります

5. 使えないものを１つ選んでください。　　　　　　　　　　　　　　（1×5＝5）

例：{コップ，花瓶，皿，~~袋~~} が割れました。

1) {けが，かぜ，やけど，忘れ物} をしました。
2) {人気，力，病気，経験} があります。
3) {傘，いす，切手，カメラ} が壊れてしまいました。
4) {ちゃわん，シャツ，切手，袋} が破れています。
5) {車，眼鏡，洗濯機，カメラ} が故障してしまいました。

6. 例：A：ただいま。　　　　　　　　　　　　　　　　　　　　　　　（1×4＝4）
　　　B：{行ってらっしゃい，行ってきます，⟨お帰りなさい⟩}。

1) A：財布が見つかりましたよ。
   B：{それはいけませんね，それはおもしろいですね，ああ、よかった}。

2) A：いっしょに帰りませんか。
   B：すみません。このコピーをやってしまいますから、{そろそろ失礼します，また今度お願いします，お先にどうぞ}。

3) A：お子さんのけがはどうですか。
   B：なかなかよくならないんです。
   A：{おかげさまで，それはいけませんね，どうぞお元気で}。

4) A：課長、{ちょっとお願いがあるんですが，よろしくお願いします，また今度お願いします}。
   B：何ですか。

7. 例：来週の予定は ｛確か, (はっきり), きっと｝ わかりません。　　　　（1×20＝20）

1) 木村さんに会って、｛直接, 特に, きっと｝ 話したいです。
2) ｛最近, 今度, いつでも｝ いっしょにカラオケに行きませんか。
3) ｛いつも, いつか, いつでも｝ 月旅行に行けるかもしれません。
4) この橋は ｛はっきり, ずっと, ずいぶん｝ 長いですね。
5) 日曜日は ｛確か, たいてい, ずいぶん｝ うちにいます。
6) おとといから ｛ずっと, きっと, はっきり｝ 雨が降っています。
7) この店の品物は ｛何も, 何か, 何でも｝ 100円です。
8) 来週は暇ですから、ミーティングは ｛いつも, いつか, いつでも｝ 大丈夫です。
9) 高橋さんの電話番号は ｛はっきり, だいたい, 確か｝ 1234の5678だと思います。
10) ｛はっきり, しばらく, たいてい｝ 今の仕事を続けるつもりです。
11) 旅行の写真は ｛もう, まだ, あと｝ できていません。
12) 疲れましたから、｛もう, まだ, あと｝ 歩けません。
13) ｛もう, まだ, あと｝ 雨が降っていますか。
14) すみませんが、｛ほかに, まだ, あと｝ 10分 ｛しか, ほど, まで｝ 待っていただけませんか。
15) 駅までどのくらいかかりますか。
　　…タクシーだったら、5分ぐらい ｛ほど, だけ, しか｝ かからないと思います。
16) 朝はいつも4時半ごろ起きています。
　　…どうして ｛こんなに, そんなに, あんなに｝ 早く起きるんですか。
17) きのうは頭も痛かったし、｛それに, それで, そして｝ 熱もあったんです。
　　…｛それに, それで, そして｝ 休んだんですね。
18) 林さんに聞いたんですが、ほんとうに会社をやめるんですか。
　　…ええ。｛きっと, 確か, 実は｝ 友達とレストランを始めるんです。

第34課

名前

1. 例：スポーツクラブ（に）通っています。

1）この棚（　　）重い物を載せないでください。

2）これはちょっと塩（　　）つけて食べてください。

3）10番線はこの黄色（　　）矢印（　　）とおりに、行ってください。

4）黒（　　）紺（　　）スーツ（　　）着て結婚式（　　）出席します。

2. 例1：番号・ボタンを押してください

　　　　…番号のとおりに、ボタンを押してください。

例2：さっき松本さんに聞きました・みんなに話しました

　　　　…さっき松本さんに聞いたとおりに、みんなに話しました。

1）先生が言いました・書きました

　　…_____

2）この図・いすと机を並べてください

　　…_____

3）赤い線・紙を折ってください

　　…_____

4）佐藤さんが説明しました・やってください

　　…_____

5）ミラーさんに教えてもらいました・ケーキを作りました

　　…_____

3. 例1：仕事のあとで、泳ぎに行きます。

例2：甘いお菓子を食べたあとで、苦いお茶を飲みます。

1）_____あとで、歯を磨いてください。

2）試験を_____あとで、答えを思い出しました。

3）_____あとで、先生に質問しました。

4）サッカーの練習を_____あとで、シャワーを浴びます。

5）お客さんが_____あとで、忘れ物に気がつきました。

6）_____あとで、すぐ旅行に行きます。

結婚式，食事
講義，仕事
します
見つかります
食べます
出します
帰ります

4. 例：銀行からお金を借りてうちを買いました。
　1）この手紙は90円の切手を_____出してください。
　2）天気がいい日には帽子を_____出かけます。
　3）ケーキは箱に_____持って行きます。
　4）レポートには名前を_____出してください。
　5）彼は白いシャツを_____、青いネクタイを_____来ました。

5. 例：朝ごはんを食べて学校へ行きますか。…いいえ、<u>食べないで</u>行きます。
　1）コーヒーは砂糖を_____飲みますか。…いいえ、入れないで飲みます。
　2）渡辺さんは傘を持って出かけましたか。…いいえ、_____出かけました。
　3）エアコンを消して寝ましたか。…いいえ、_____寝てしまいました。
　4）旅行はホテルを_____行きましたか。
　　…いいえ、予約しないで行きましたが、泊まれました。

6. 例：要らない箱はここに<u>置かないで</u>、捨ててください。
　1）連休はどこへも_____、うちでゆっくり休みたいです。
　2）最近バスやタクシーに_____、よく歩いています。
　3）電気製品が故障しても、新しいのを_____、修理して使っています。
　4）きのうはうちへ_____、友達のマンションに泊まりました。
　5）日曜日も_____、働くんですか。
　6）一人で_____、みんなの意見を聞いて決めたほうがいいですよ。

7. 例：友達と ｛(話しながら)，話して，話すと｝ 歩きました。
　1）あそこに ｛座りながら，座って，座ると｝ お弁当を食べましょう。
　2）電話を ｛かけながら，かけて，かけたら｝ 車を運転しないでください。
　3）いつも眼鏡を ｛かけながら，かけて，かけたら｝ 新聞を読みます。
　4）これを ｛押しながら，押しても，押すと｝ 右へ回すと、ガスがつきます。
　5）もしわたしが遅れたら、｛待たないで，待って，待つと｝ 先に行ってください。
　6）そんなに ｛急ぎながら，急いで，急がないで｝ 歩かなくても、間に合いますよ。
　7）きのうはおふろに ｛入っても，入ると，入らないで｝ 寝てしまいました。
　8）やまと美術館は6番のバスに ｛乗りながら，乗って，乗ると｝ 4つ目で
　　｛降りて，降りながら，降りると｝ 左に見えます。

第35課　名前

1. 例：道（で）財布（を）拾いました。
1) 予定（　）変わったら、連絡してください。
2) 正しい答え（　）丸（　）付けてください。
3) 屋上（　）富士山（　）見えます。
4) 向こう（　）見える建物（　）何ですか。
5) 庭（　）きれいな花（　）咲いていますね。

2.
| 平日です，無理です，安いです，簡単な料理です，困ります |
| 送ります，引きます，話せます，もらいません，要りません |

例1：きょう送れば、あした着くと思います。
例2：簡単な料理なら、作れます。

1) いろいろな外国語が＿＿＿＿＿＿＿＿＿＿＿、海外旅行は楽しいでしょう。
2) 許可を＿＿＿＿＿＿＿＿＿＿＿、ここには入れません。
3) いい品物で、＿＿＿＿＿＿＿＿＿＿＿、たくさん売れると思います。
4) ＿＿＿＿＿＿＿＿＿＿＿、デパートはそんなに込んでいないと思いますよ。
5) このパソコン、修理が＿＿＿＿＿＿＿＿＿＿＿、新しいのを買わなければなりません。
6) この雑誌、＿＿＿＿＿＿＿＿＿＿＿、捨てますよ。
7) このカーテンはどうやって閉めるんですか。
　　…そのひもを＿＿＿＿＿＿＿＿＿＿＿、閉まりますよ。

3. 例：パスポートをなくしました・どうしますか
　　　…パスポートをなくしたんですが、どうすればいいですか。

1) 新しいコピー機の使い方がわかりません・だれに聞きますか
　　…＿＿＿＿＿＿＿＿＿＿＿＿＿＿＿＿＿＿＿＿＿＿＿＿＿

2) 大学院の試験を受けたいです・いつまでに申し込みますか
　　…＿＿＿＿＿＿＿＿＿＿＿＿＿＿＿＿＿＿＿＿＿＿＿＿＿

3) お葬式に行きます・どんな服を着て行きますか
　　…＿＿＿＿＿＿＿＿＿＿＿＿＿＿＿＿＿＿＿＿＿＿＿＿＿

4. 例1：A：体の調子がよくないですから、たばこをやめます。
　　　　B：たばこをやめれば、よくなるかもしれませんよ。
　 例2：A：ワインを買いたいんですが、どこで買ったらいいですか。
　　　　B：ワインなら、エドヤストアがいいと思いますよ。
　 1) A：間に合わないかもしれませんから、タクシーで行きます。
　　　B：タクシーで＿＿＿＿＿＿＿＿、間に合うでしょう。
　 2) A：こんなに雨が降っていますから、あしたの山登りは無理ですよ。
　　　B：山登りが＿＿＿＿＿＿＿＿、ゆっくり温泉に入りましょう。
　 3) A：料理を習いたいんですが、いい料理教室を知っていますか。
　　　B：そうですね。＿＿＿＿＿＿＿＿、「毎日クッキング」がいいと思いますよ。
　　　　駅から近いし、設備もいいですから。
　　　A：駅から近くて、設備が＿＿＿＿＿＿＿＿、高いでしょう？

5. 例1：地図があれば、初めての所でも一人で行けます。
　 例2：漢字で書けなければ、ひらがなで書いてもいいです。
　 1) ことばの意味が＿＿＿＿＿＿＿＿、辞書で調べます。
　 2) 次のバスに＿＿＿＿＿＿＿＿、間に合いません。
　 3) 年を＿＿＿＿＿＿＿＿、だれでも歯や目が悪くなります。
　 4) 桜が＿＿＿＿＿＿＿＿、ここでお花見ができます。
　 5) 時間が＿＿＿＿＿＿＿＿、タクシーで行きましょう。
　 6) 夜早く＿＿＿＿＿＿＿＿、朝早く起きられるでしょう。

6. 例1：資料は30枚｛あれば（○）, あったら（○）｝、足りるでしょう。
　 例2：道具を｛使えば（×）, 使ったら（○）｝、元の所に戻しておいてください。
　 1) ミラーさんが｛来たら（　）, 来れば（　）｝、ミーティングを始めましょう。
　 2) 来週広島へ出張しますから、広島へ｛行けば（　）, 行ったら（　）｝、
　　　友達に会いたいです。
　 3) 試験について質問が｛なければ（　）, ないと（　）｝、これで終わりましょう。
　 4)｛寒ければ（　）, 寒かったら（　）｝、エアコンを消してください。
　 5) あした｛晴れると（　）, 晴れれば（　）｝、海へ行きます。
　 6) タクシーに忘れ物をしたんですが、どう｛すれば（　）, したら（　）｝
　　　いいですか。

第36課　名前

1. 例：きのう（×）ミラーさん（に）会いました。
　1）ラッシュ（　）あわないように、いつも（　）7時ごろうち（　）出ます。
　2）夜10時（　）過ぎたら、できるだけ（　）電話をかけないほうがいいです。
　3）新しい仕事（　）やっと（　）少し慣れました。
　4）毎月（　）必ず母（　）1万円送るようにしています。

2. 例1：よく<u>見える</u>ように、大きい字で書いてください。
　　例2：道を<u>まちがえない</u>ように、地図を持って行きます。
　1）あした早く＿＿＿＿＿＿＿ように、今晩早く寝ます。
　2）大切な約束を＿＿＿＿＿＿＿ように、メモしておきます。
　3）お茶を飲みたいとき、いつでも＿＿＿＿＿＿＿ように、お湯が置いてあります。
　4）いいレポートが＿＿＿＿＿＿＿ように、資料を集めています。
　5）寒いですから、かぜを＿＿＿＿＿＿＿ように、気をつけてください。

3.
> 着られます，使えます，住めます，踊れます
> 置けます，貯金します，かけられます

　例：盆踊りが少し踊れるようになりました。
　1）やっと上手にはしが＿＿＿＿＿ようになりました。
　2）広い部屋に引っ越ししましたから、大きい家具が＿＿＿＿＿ようになりました。
　3）ダイエットをすれば、小さいサイズの服が＿＿＿＿＿ようになるでしょう。
　4）早く日本語で電話が＿＿＿＿＿ようになりたいです。
　5）いつかわたしたちは月に＿＿＿＿＿ようになるでしょうか。

4. 例：自転車に乗れるようになりましたか。…いいえ、まだ乗れません。

1) お子さんは_____ようになりましたか。

　　…いいえ、まだほとんど歩けません。

2) 漢字が書けるようになりましたか。…いいえ、まだあまり_____

3) 日本語で意見が_____ようになりましたか。

　　…いいえ、まだほとんど言えません。

4) どんな料理が作れるようになりましたか。…まだ簡単な料理しか_____

5) 何メートルぐらい_____ようになりましたか。

　　…まだ5メートルぐらいしか泳げません。

5. 例1：わからないことばがあったら、{上手に, やっと, (すぐ)} 辞書で調べるようにしています。

　　例2：体の調子が悪いときは、{(あまり), 必ず, なかなか} 無理をしないようにしてください。

1) ニュースの日本語が {きっと, 必ず, やっと} 少し_____ようになりました。

2) ここでは {絶対に, 必ず, なかなか} たばこを_____ようにしてください。

3) 夜は {できるだけ, かなり, やっと} 早く寝て、朝は早く_____ようにしています。

4) 毎晩寝るまえに、{かなり, 必ず, やっと} 歯を_____ようにしています。

5) {できるだけ, なかなか, きっと} 夜遅く電話を_____ようにしてください。

6. 例1：使った道具は元の所に {戻して (○), 戻すようにして (○)} ください。

　　例2：ちょっとこのホッチキスを {貸して (○), 貸すようにして (×)} ください。

1) すみませんが、あと10分 {待って (　), 待つようにして (　)} ください。

2) 規則は必ず {守って (　), 守るようにして (　)} ください。

3) 道にごみを {捨てないで (　), 捨てないようにして (　)} ください。

4) このケーキ、おいしいですね。

　　…そうですか。どうぞたくさん {食べて (　), 食べるようにして (　)} ください。

5) すみませんが、ちょっと {手伝って (　), 手伝うようにして (　)} ください。

第37課　名前

1. 例：

捨てます	捨てられます	捨てられる
1）汚します		
2）	注意されます	
3）		行われる
4）呼びます		
5）	決められます	
6）		連れて来られる
7）読みます		
8）	見られます	

2. 例：2階の窓（から）海（が）見えます。

1）彼女（　）スキー旅行（　）誘いたいです。
2）日本語を英語（　）翻訳します。
3）石油はサウジアラビア（　）輸入しています。
4）わたしは彼女（　）結婚（　）申し込もうと思っています。
5）わたしはタワポンさん（　）結婚式（　）招待するつもりです。
6）わたしは妹（　）傘（　）なくされました。
7）昔日本では建物や橋を木（　）造っていました。
8）ワインは何（　）造られるんですか。

3. 例：この絵は200年ぐらいまえに、かかれました。

1）インスタントラーメンは日本で＿＿＿＿＿＿＿＿＿＿＿＿
2）4年に1回オリンピックが＿＿＿＿＿＿＿＿＿＿＿＿＿＿
3）去年この町に大きい美術館が＿＿＿＿＿＿＿＿＿＿＿＿
4）あの古いビルはもうすぐ＿＿＿＿＿＿＿＿＿＿予定です。
5）これからまた新しい星が＿＿＿＿＿＿＿＿＿＿でしょう。

開きます
選びます
発明します
発見します
建てます
かきます
壊します

4. 例1：先生がテレーザちゃんを褒めました。
　　　　…テレーザちゃんは先生に褒められました。
　　例2：子どもがわたしのパソコンを壊しました。
　　　　…わたしは子どもにパソコンを壊されました。

1) 渡辺さんがわたしをデートに誘いました。
　…_____

2) 警官が泥棒を連れて行きました。
　…_____

3) カリナさんがわたしに大学院の試験について聞きました。
　…_____

4) 課長が山田さんに資料のコピーを頼みました。
　…_____

5) 子どもがわたしの新しいスーツを汚しました。
　…_____

6) 犬がわたしの足をかみました。
　…_____

7) だれかがわたしの傘をまちがえました。
　…_____

5. 例：コンピューターはいろいろな所で使われています。
1) 日本では犬や猫などがよく＿＿＿＿＿＿＿＿＿＿
2) この製品はいろいろな国へ＿＿＿＿＿＿＿＿＿＿
3) このマンガは日本中の子どもに＿＿＿＿＿＿＿＿
4) インスタントラーメンは外国人にもよく＿＿＿＿
5) 動物も人の気持ちがわかると＿＿＿＿＿＿＿＿＿

　　輸入しています
　　使っています、食べています
　　読んでいます、言っています
　　飼っています
　　輸出しています

6. 例：子どものとき、父によく ｛(しかられました)、しかってもらいました｝。
1) 電車の中で足を ｛踏まれました、踏んでもらいました｝。
2) 山田さんに車で駅まで ｛送られました、送ってもらいました｝。
3) 鈴木さんにカメラを ｛貸されました、貸してもらいました｝。
4) 泥棒にお金を ｛とられました、とってもらいました｝。
5) 早く医者に ｛診られた、診てもらった｝ ほうがいいですよ。

第38課

名前

1. 例：やっと日本の生活（に）慣れました。

1) ボランティア（　）参加したことがありますか。
2) パソコン（　）電源（　）入れてください。
3) うそ（　）つくのはよくないです。
4) 先週姉（　）男の子（　）生まれました。
5) 回覧の名前の下（　）はんこ（　）押してください。

2. 例：夜遅く一人で歩くのは危ないです。

1) 働きながら夜大学で_____大変です。
2) 結婚式にこの服を_____おかしいですか。
3) 近くに大きいスーパーが_____便利ですね。
4) 自分の気持ちを_____とても難しいと思います。
5) 引っ越しの荷物をこの車で_____ちょっと無理です。

あります
伝えます
運びます
招待します
歩きます
勉強します
着て行きます

3. 例：働きながら子どもを育てるのは大変です。

1) _____楽しいです。
2) _____体によくないです。
3) _____気持ちがいいです。
4) 外国語でスピーチをするのは_____
5) ケータイを見ながら歩くのは_____

4. 例：息子は好きです・動物を飼います…息子は動物を飼うのが好きです。

1) ことしは遅いです・桜が咲きます…_____
2) わたしは下手です・整理します…_____
3) 子どもは早いです・けがが治ります…_____
4) マリアさんは上手です・プレゼントを選びます

　　…_____
5) わたしは嫌いです・込んでいる電車に乗ります

　　…_____

5. 例：ミーティングの時間を決めましたが、渡辺さんに連絡するのを忘れました。
   1) 中村さんに手紙を出しましたが、切手を_____忘れました。
   2) 帰るときは、コピー機の電源を_____忘れないでください。
   3) 書類を入れた引き出しのかぎを_____忘れないようにしてください。
   4) きのう出したレポートに名前を_____忘れてしまいました。

6.
   > 買いました，飼えません，退院します，書いています
   > 育てます，できました，合格しました，入院しました

   例：駅前に大きなレストランができたのを知っていますか。
   1) 小川さんの息子さんが大学に_____知りませんでした。
   2) 高橋さんがドイツ製の車を_____知っていますか。
   3) このマンションではペットが_____知りませんでした。
   4) あさって林さんが_____知っていますか。
   5) きのう山田さんのお父さんが_____知っていますか。
   6) 今ミラーさんが『20分でできるおいしい料理』という本を_____知っていますか。

7. 例：北海道へ行ったことがありますか。
   …ええ、何回もあります。初めて行ったのはおとといです。
   1) ご主人はよく料理を作りますか。
      …ええ。たいてい料理を_____夫ですが、食事のあとで、片づけるのはわたしです。
   2) 旅行中にパスポートとカメラをとられました。
      …_____パスポートとカメラだけですか。
   3) 甘い物が好きですか。
      …ええ、甘い物なら、何でも好きですが、特に_____チョコレートです。
   4) 日本語の勉強で何がいちばん難しいですか。
      …そうですね。いちばん_____漢字だと思います。
   5) ヨーロッパ旅行でどこがよかったですか。
      …全部よかったですが、いちばん_____イタリアです。

第39課

名前

1. 例：交差点（で）バスとタクシー（が）ぶつかりました。
   1) 津波（　）人（　）大勢死にました。
   2) 授業（　）遅れて、先生（　）しかられました。
   3) 質問（　）答えられなくて、恥ずかしかったです。
   4) バスはこの道（　）通って、駅まで行きます。

2. 例1：（地震です…地震で）橋が壊れました。
   例2：電話で母の元気な声を（聞きました…聞いて）、安心しました。
   1) （台風です…　　　　　　）木が倒れました。
   2) 日本語が（わかりません…　　　　　　）、困っています。
   3) バスが（遅れました…　　　　　　）、約束の時間に間に合いませんでした。
   4) 渡辺さんに（会えませんでした…　　　　　　）、がっかりしました。
   5) 友達が（いません…　　　　　　）、寂しいです。
   6) きのうの晩は（暑かったです…　　　　　　）、寝られませんでした。
   7) マンガミュージアムで先生に（会いました…　　　　　　）、びっくりしました。
   8) （火事です…　　　　　　）京都の古いお寺が焼けてしまいました。
   9) あのビルが（邪魔です…　　　　　　）、富士山が見えません。
   10) 今度のミーティングに（出席できません…　　　　　　）、すみません。

3. 例：その窓から庭が見えますか。
   …いいえ、もう外は（暗いです…暗くて）、何も見えません。
   1) 約束の時間に間に合いましたか。
   　　…いいえ、途中で事故が（ありました…　　　　　　）、＿＿＿＿＿＿
   2) ゆうべよく寝られましたか。
   　　…いいえ、隣のテレビの音が（うるさかったです…　　　　　　）、＿＿＿＿＿＿
   3) 漢字はすぐ覚えられますか。
   　　…いいえ、形が（複雑です…　　　　　　）、なかなか＿＿＿＿＿＿
   4) 講義はわかりますか。
   　　…いいえ、話し方が（速いです…　　　　　　）、よく＿＿＿＿＿＿

4. 例：毎日（練習しました…練習した）ので、日本語が話せるようになりました。

1) ちょっと用事が（あります…　　　　　　）ので、きょうは残業しないで、帰ります。
2) 漢字が（わかりません…　　　　　　）ので、ひらがなで書いてもいいですか。
3) 現金が（足りませんでした…　　　　　　）ので、カードで払いました。
4) あしたお見合いを（します…　　　　　　）ので、着物を着ようと思っています。
5) ちょっと（邪魔です…　　　　　　）ので、この箱を片づけてもいいですか。
6) 東京は家賃が（高いです…　　　　　　）ので、広い部屋は借りられません。
7) この電車は（特急です…　　　　　　）ので、1時間ぐらいで着くと思います。
8) 今はラッシュの（時間じゃありません…　　　　　　）ので、そんなに込んでいないと思います。
9) 来週（出張しなければなりません…　　　　　　）ので、今準備をしています。
10) コーヒーはあまり（好きじゃありません…　　　　　　）ので、紅茶を飲みます。

5. 例：かぜでした／頭が痛かったです／会社を休みました
　　…（かぜで頭が痛かったので、会社を休みました。）

1) 地震でした／電車が止まってしまいました／うちへ帰れませんでした
　…（　　　　　　　　　　　　　　　　　　　　　　　　　　　　）
2) テニスをしました／疲れました／きょうは早く寝ます
　…（　　　　　　　　　　　　　　　　　　　　　　　　　　　　）
3) この荷物は重いです／一人で持てません／手伝ってください
　…（　　　　　　　　　　　　　　　　　　　　　　　　　　　　）
4) 足が痛かったです／歩けませんでした／タクシーで帰りました
　…（　　　　　　　　　　　　　　　　　　　　　　　　　　　　）

6. 例：うるさくて、｛勉強しません, ⦅勉強できません⦆｝。

1) 富士山が見えて、｛うれしかったです, 写真を撮りました｝。
2) 日本は物価が高くて、｛困ります, 買い物をしません｝。
3) わたしは字が下手で、｛手紙を書きません, 恥ずかしいです｝。
4) 遅くなって、｛すみません, タクシーに乗ろうと思います｝。
5) 台風で｛寝ませんでした, 寝られませんでした｝。

第40課

名前

1. 例1：あしたどの映画を見ますか・決めましたか
　　　　…あしたどの映画を見るか、決めましたか。
　　例2：カリナさんは今うちにいますか・わかりません
　　　　…カリナさんは今うちにいるかどうか、わかりません。

1) ケーキが何個ありますか・数えてください
　　…＿＿＿＿＿＿＿＿＿＿＿＿＿＿＿＿＿＿＿＿＿＿＿＿＿＿＿
2) シュミットさんはどんな料理が好きですか・知りたいです
　　…＿＿＿＿＿＿＿＿＿＿＿＿＿＿＿＿＿＿＿＿＿＿＿＿＿＿＿
3) ワットさんはどうして来ませんでしたか・わかりますか
　　…＿＿＿＿＿＿＿＿＿＿＿＿＿＿＿＿＿＿＿＿＿＿＿＿＿＿＿
4) このカメラはいくらでしたか・覚えていません
　　…＿＿＿＿＿＿＿＿＿＿＿＿＿＿＿＿＿＿＿＿＿＿＿＿＿＿＿
5) この手紙は重さが25グラム以下ですか・量ってください
　　…＿＿＿＿＿＿＿＿＿＿＿＿＿＿＿＿＿＿＿＿＿＿＿＿＿＿＿
6) この答えは正しいですか・もう一度考えてください
　　…＿＿＿＿＿＿＿＿＿＿＿＿＿＿＿＿＿＿＿＿＿＿＿＿＿＿＿

2. 例1：会議は何時からですか。…何時からか、佐藤さんに聞きましょう。
　　例2：あした来られますか。…来られるかどうか、わかりません。

1) この書類、はんこが必要ですか。…さあ、＿＿＿＿＿＿＿＿＿＿＿＿＿、わかりません。
2) この料理は辛いですか。…＿＿＿＿＿＿＿＿＿＿＿＿＿、食べてみてください。
3) 忘年会に出席しますか。…＿＿＿＿＿＿＿＿＿＿＿＿＿、まだ決めていません。
4) スピーチコンテストの申し込みは何日までですか。
　　…＿＿＿＿＿＿＿＿＿＿＿＿＿、覚えていません。
5) 電話番号はまちがいがありませんか。…＿＿＿＿＿＿＿＿＿＿＿＿＿、確かめます。
6) ミラーさんの誕生日のプレゼント、何をあげますか。
　　…＿＿＿＿＿＿＿＿＿＿＿＿＿、今考えています。
7) この料理はどうやって作りましたか。
　　…母が作ったので、わたしも＿＿＿＿＿＿＿＿＿＿＿＿＿、わからないんです。

3. 例：うちを出ましたか・電話をかけます
　　　…イーさんはもう<u>うちを出たかどうか</u>、<u>電話をかけて</u>みます。

1）ちょうどいいですか・はきます
　　…ズボンを買うとき、長さが＿＿＿＿＿＿＿＿＿＿＿＿＿＿＿＿＿＿＿＿

2）サイズが合いますか・かぶります
　　…帽子を買うとき、＿＿＿＿＿＿＿＿＿＿＿＿＿＿＿＿＿＿＿＿＿＿＿

3）足が痛くないですか・はいて歩きます
　　…靴を買うとき、＿＿＿＿＿＿＿＿＿＿＿＿＿＿＿＿＿＿＿＿＿＿＿＿

4）来ますか・聞いてください
　　…イーさんはパーティーに＿＿＿＿＿＿＿＿＿＿＿＿＿＿＿＿＿＿＿＿

5）どんな店ですか・入りました
　　…新しいレストランができたので、＿＿＿＿＿＿＿＿＿＿＿＿＿＿＿＿

4. 例：雪祭りにいっしょに（行きます…<u>行ってみ</u>）ませんか。

1）鈴木さんは出かけているかもしれませんから、行くまえに、電話を
　　（かけます…　　　　　　　　　）ほうがいいですよ。

2）わたしが初めて作った日本料理です。おいしいかどうか、
　　（食べます…　　　　　　　　　）ください。

3）富士山に（登ります…　　　　　　　　）たいんですが、上まで登るのは大変でしょうか。

4）このコート、ちょっと（着ます…　　　　　　　　　）もいいですか。

5）部長はあした都合がいいかどうか、（聞きます…　　　　　　　　　）ましょう。

6）先生、わたしが（読みます…　　　　　　　　　）ますから、まちがいを直してください。

7）初めて日本のお酒を（飲みます…　　　　　　　　　）ました。

5. 例：冷蔵庫に卵が1（個），枚，冊　しかありません。

1）封筒の｛間，隣，裏｝に自分の住所と名前を書きます。

2）マラソン大会の｛出発，申し込み，出席｝はあさってまでですよ。

3）宇宙の｛大きさ，重さ，速さ｝はどのくらいか、わかりますか。

4）台風6｛号，便，番｝はたぶん日本へ来ないと思います。

5）試験の｛様子，成績，返事｝が悪かったので、3月に卒業できないかもしれません。

第41課

名前

1. 例：わたしは中村課長（に）京都（を）案内していただきました。
   1）わたしは日本の小説（　　）興味（　　）あります。
   2）入院したとき、お見舞い（　　）部長が花や果物（　　）持って来てくださいました。
   3）わたしは妹（　　）絵本（　　）読んでやりました。
   4）田中さんがわたし（　　）かばん（　　）持ってくださいました。
   5）わたしは毎日犬（　　）散歩（　　）連れて行ってやります。

2. 例：かわいい犬でしょう？　でも、毎日水とえさを<u>やる</u>のは大変なんです。

| あげます |
| もらいます |
| くれます |
| やります |
| いただきます |
| くださいます |

   1）わたしの誕生日に娘は自分で作った人形を_____。
   2）ワット先生が来月イギリスへ帰るんですが、お土産に何を_____らいいでしょうか。
   3）これは高校の先生が_____日本語の辞書で、とても便利です。
   4）このお皿、すてきでしょう？　結婚のお祝いに中村課長に_____んです。
   5）きれいな手袋ですね。外国のですか。
    …ええ、祖父に_____お年玉で買ったんです。

3. 　くださいます，いただきます，やります，あげます，もらいます，くれます

   例：中村課長が相撲を見に連れて行ってくださいました。
   1）先週クラスの皆さんにわたしの国のことばを少し教えて_____
   2）きのう課長に車で送って_____
   3）きのう友達がタイ料理を作って_____
   4）部長に食事に招待して_____、うれしかったです。
   5）今晩妹の宿題を見て_____なければなりません。
   6）引っ越ししたとき、友達に手伝って_____
   7）ホームステイの家族の皆さんが町のいろいろな情報を教えて_____

4. 例：だれがこの資料を貸してくれたんですか。
　　　　…松本部長が貸してくださったんです。

1) だれに日本語の文法を教えてもらいましたか。
　　　…大学の先生に_____

2) クリスマスにお子さんに何か買ってあげましたか。
　　　…おもちゃを_____

3) 道がわからなければ、地図をかきましょうか。
　　　…もう、松本部長が_____から、大丈夫です。

4) 弟さんが日本へ来たら、どこを案内してあげますか。
　　　…京都を_____つもりです。

5) きのうだれが作文を直してくれましたか。
　　　…姉が_____

6) その自転車、自分で修理したんですか。
　　　…いいえ、兄に_____んです。

7) いい辞書ですね。自分で選んだんですか。
　　　…いいえ、日本語の先生に_____んです。

5. 翻訳します，見ます，吸います，伝えます，押します，取り替えます

例：すみません。中国語の手紙が読めないんですが、翻訳してくださいませんか。

1) ここは禁煙なので、たばこはあちらで_____
2) ミラーさん、回覧です。見たら、ここにはんこを_____
3) エアコンの調子がおかしいんですが、ちょっと_____
4) すみませんが、渡辺さんに会議は3時からだと_____

6. 例：そのお弁当、どこで買ったんですか。
　　　　…小川さんの奥さんが作って {⦿くださった，いただいた} んです。

1) この間課長に貸して {くださった，いただいた} 本はとても役に立ちました。
2) おもちゃと絵本を買ったんですね。
　　　…ええ、国の弟に送って {くれよう，やろう} と思っているんです。
3) 空港まで部長が迎えに来て {やりました，くださいました}。
4) この写真はだれが撮ったんですか。…イーさんが撮って {あげた，くれた} んです。

第42課

名前

1. 例：これはプレゼント（に）ちょうどいいですね。

1）戦争（　）死んだ人のために、この曲（　）作りました。
2）ボランティアの会議（　）出席するために、休み（　）取りました。
3）このかばんはポケット（　）たくさんあって、仕事（　）便利です。
4）ボーナスは子ども（　）教育（　）ために、貯金します。

2.

熱	混ぜます
電車の時間	沸かします
お湯	数えます
材料	測ります
瓶のふた	入れます
お祝いのお金	調べます
重さ	開けます

例：やかんはお湯を沸かすのに使います。

1）栓抜きは＿＿＿＿＿＿＿＿＿＿＿＿＿＿
2）ミキサーは＿＿＿＿＿＿＿＿＿＿＿＿＿＿
3）体温計は＿＿＿＿＿＿＿＿＿＿＿＿＿＿
4）のし袋は＿＿＿＿＿＿＿＿＿＿＿＿＿＿
5）時刻表は＿＿＿＿＿＿＿＿＿＿＿＿＿＿

3. 例1：新しいマンションはどうですか。（買い物・不便です）

　　…とても静かで、いいんですが、ちょっと買い物に不便です。

例2：これは何ですか。（計算します・使います）

　　…そろばんです。計算するのに使います。

1）この公園は広くて、木が多いですね。（散歩・いいです）

　　…ええ、＿＿＿＿＿＿＿＿＿＿＿＿＿＿＿＿＿＿＿＿＿＿＿＿

2）電子辞書はどうですか。（漢字の読み方を調べます・役に立ちます）

　　…便利ですよ。特に＿＿＿＿＿＿＿＿＿＿＿＿＿＿＿＿＿＿＿

3）弟さんのけがはどうですか。（治ります・2か月かかりました）

　　…おかげさまでやっとよくなりました。＿＿＿＿＿＿＿＿＿＿

4）この傘はずいぶん軽いですね。（旅行・便利です）

　　…ええ、小さくて、軽いですから、＿＿＿＿＿＿＿＿＿＿＿＿

4. 例1：古いお寺の写真を（撮ります…撮る）ために、京都へ行きました。
　例2：（子ども…子どもの）ために、犬を飼いました。

1）ボランティアに（参加します…　　　　　　　）ために、休みを取りました。
2）日本語を（勉強している人…　　　　　　　）ために、易しい日本語で話そうと思っています。
3）12時の飛行機に（乗ります…　　　　　　　）ために、8時にうちを出なければなりません。
4）世界の（平和…　　　　　　　）ために、何ができるか、考えています。
5）（困っている人…　　　　　　　）ために、法律を勉強して、弁護士になろうと思っています。
6）（何…　　　　　　　）ために、歴史を勉強するんですか。
7）静かな所で子どもを（育てます…　　　　　　　）ために、引っ越ししました。

5. 例：どうして人が大勢並んでいるんですか。
　　　…あの美術館に入るために、並んでいるんです。

1）日本へ来た目的は何ですか。
　…＿＿＿＿＿＿＿＿＿＿＿＿＿＿＿＿＿＿＿＿ために、来ました。
2）どうして日本語を勉強しているんですか。
　…＿＿＿＿＿＿＿＿＿＿＿＿＿＿＿＿＿ために、一生懸命勉強しています。
3）なぜ貯金しているんですか。
　…＿＿＿＿＿＿＿＿＿＿＿＿＿＿＿＿＿ために、貯金しなければなりません。
4）どうしてスポーツ教室に通っているんですか。
　…＿＿＿＿＿＿＿＿＿＿＿＿＿＿＿＿＿ために、運動が必要だと思いますから。

6. 例：夏休みに旅行する｛ように，(ために)｝、アルバイトをしています。
1）論文を書く｛ように，ために｝、資料を集めています。
2）電車に傘を忘れない｛ように，ために｝、気をつけてください。
3）絵を勉強する｛ように，ために｝、フランスへ行こうと思っています。
4）マラソン大会に出る｛ように，ために｝、毎日練習しています。
5）約束の時間に遅れない｛ように，ために｝、急いで行きました。
6）試験に合格できる｛ように，ために｝、一生懸命勉強しています。

復習 (34〜42課)

名前　　　　　　　　　／100点

1. 例：今度のテニスの試合（に）出ますか。　　　　　　　　　　（1×23＝23）

1) 出口はこの矢印（　　）とおりに、行ってください。
2) 新年会（　　）あとで、二次会に行きました。
3) 試験を出したあとで、まちがい（　　）気がつきました。
4) 青（　　）黒のボールペンで書いてください。
5) 課長、会議の資料を作りました。これ（　　）いいですか。
6) これをフランス語（　　）翻訳してください。
7) ここは夜10時（　　）過ぎると、ほんとうに静かになります。
8) この方法（　　）やれば、もっと簡単だと思いますよ。
9) 渡辺さんが結婚式（　　）招待してくれました。
10) わたしは妹（　　）パソコン（　　）壊されました。
11) わたしは日本のアニメ（　　）興味があります。
12) 電車を降りたあとで、忘れ物（　　）気がつきました。
13) 先生の質問（　　）答えられませんでした。
14) 電車の事故（　　）学校（　　）遅れてしまいました。
15) 自分（　　）ために使える時間がもっと欲しいです。
16) 12月はお酒を飲む機会が多いですね。クリスマス（　　）忘年会（　　）……。
17) これは何（　　）使うんですか。
　　…手紙の重さを量るのに使います。
18) おもしろいデザインの時計ですね。
　　…ええ、結婚のお祝い（　　）山田さん（　　）くださったんです。
19) やっと日本の生活（　　）慣れました。

2. 例：うそ ⟷ ほんとう　　　　　　　　　　　　　　　　　　（1×10＝10）

1) 裏 ⟷　　　　　　　　　6) 悲しい ⟷
2) 以下 ⟷　　　　　　　　7) 入院します ⟷
3) 北 ⟷　　　　　　　　　8) 褒めます ⟷
4) 複雑 ⟷　　　　　　　　9) [雨が]降ります ⟷
5) 汚い ⟷　　　　　　　　10) [電源を]入れます ⟷

3. (1×22=22)

例：けさは時間が（ありません…なくて）、朝ごはんが（食べられませんでした…食べられなかった）ので、コーヒーだけ（飲みます…飲んで）来ました。

1) 電話をかけるときは、必ず番号を（確認します…　　　　　）ようにしています。

2) （まちがえられません…　　　　　）ように、傘に名前を書いておきます。

3) スポーツを（します…　　　　　）あとで飲むビールは特においしいです。

4) 今（説明しました…　　　　　）とおりにやれば、だれでも（失敗します…　　　　　）ないでできますよ。

5) 答えが（正しいです…　　　　　）かどうか、（確かめます…　　　　　）のを忘れないでください。

6) 用事が（できました…　　　　　）、忘年会に出られませんでした。

7) （暑いです…　　　　　）ば、エアコンをつけてください。

8) この箱は荷物を（送ります…　　　　　）のに（使います…　　　　　）ので、捨てないでください。

9) この小説を（書きました…　　　　　）のはドイツの有名な小説家です。

10) サイズが（合います…　　　　　）かどうか、（着ます…　　　　　）みてもいいですか。

11) ここは学校に（通います…　　　　　）のにとても便利です。

12) 楽しい生活を（します…　　　　　）ために、いちばん（大切です…　　　　　）のは（何です…　　　　　）か、（考えます…　　　　　）みたことがありますか。

13) 昔はいろいろな情報を（集めます…　　　　　）のはとても大変で、時間とお金がかかりました。でも、今はインターネットを（使います…　　　　　）ば、だれでも世界中の情報が（集められます…　　　　　）ようになりました。

4. (1×16=16)

例：カラオケで｛やっと,(上手に), なかなか｝歌えるようになりたいです。

1) わたしはちょっと遅れるかもしれませんから、遅れたら、｛さっき, 先に, 初めに｝行ってください。

2) 松本さんは｛さっき, もうすぐ, このごろ｝帰りました。

3) ｛やっと, もっと, とても｝練習しなければ、試合に出られないでしょう。

4) あしたは｛絶対に, 必ず, やっと｝遅れないようにしてください。

5）山田さん、｛このごろ，この間，たいてい｝元気がありませんね。

6）休むときは、｛やっと，たいてい，必ず｝連絡するようにしてください。

7）このカメラ、修理代が｛かなり，なかなか，そんなに｝かかりますよ。

8）｛初めに，初めて，さっき｝電源を入れて、それからこのボタンを押してください。

9）｛この間，このごろ，最近｝いただいたお菓子、とてもおいしかったです。

10）駅まで｛必ず，絶対に，一生懸命｝走って、｛必ず，きっと，やっと｝
　　8時半の電車に間に合いました。

11）朝ごはんは｛はっきり，きちんと，ほとんど｝食べたほうがいいですよ。

12）駅へ行く｛初めに，真ん中で，途中で｝山田さんに会いました。

13）｛できるだけ，たくさん，とても｝早くコピー機の修理をお願いしたいんですが。

14）最近体の調子はどうですか。
　　…おかげさまでとてもいいです。｛実は，ところで，それなら｝高橋さんが入院
　　したのを知っていますか。

15）セーターやコートはもうちょっと待てば、ずっと安くなりますよ。
　　…｛それで，それなら，それに｝今買わないほうがいいですね。

5. 例：A：コーヒー、もう一杯いかがですか。　　　　　　　　　　（1×6＝6）
　　　　B：いいえ、｛まだまだです，(けっこうです)，どういたしまして｝。

1）ご結婚おめでとうございます。どうぞ｛お元気で，よろしく，お幸せに｝。

2）ほかに質問がなければ、｛これでいいですか，これで終わりましょう，
　　これでお願いします｝。

3）A：林さんはどこへ行ったか、わかりますか。
　　B：｛ああ，さあ，あのう｝わたしもわかりません。

4）A：なくした財布がやっと見つかりました。
　　B：それは｛いけませんね，いいですね，よかったですね｝。

5）A：これからちょっとお茶でも飲んで帰りませんか。
　　B：すみません。きょうは用事があるので、わたしは｛お先にどうぞ，
　　　　お先に失礼します，行ってきます｝。
　　A：そうですか。｛お疲れさまでした，お世話になりました，
　　　　かしこまりました｝。

41

6. 例：最近体の {都合, ⓒ調子, 様子} が悪いです。　　　　　　　　　　（1×10＝10）

1) わたしは中国の歴史に {人気, 興味, 経験} があります。
2) 渡辺さんは最近ちょっと {様子, 方法, 情報} が変ですね。
3) 子どもの {成績, 文化, 教育} にとてもお金がかかります。
4) 日本へ来た {方法, 目的, 興味} は何ですか。
5) 富士山の {高さ, 長さ, 大きさ} は3,776メートルです。
6) 皆さん、ここにある資料を1枚 {ほど, ずつ, しか} 取ってください。
7) タイの家族や友達によく電話するので、毎月電話 {代, 便, 中} が高いです。
8) この図書館の本は15 {枚, 本, 冊} まで借りられます。
9) ケーキが10 {本, 個, 杯} ありますから、みんなで食べましょう。
10) 毎朝大きなコップで2 {本, 個, 杯} 牛乳を飲みます。

7.　　　　　　　　　　　　　　　　　　　　　　　　　　　　　（1×13＝13）

例：大学に {入る, ⓒ入れる, 入られる} ように、一生懸命勉強しています。

1) 車を {買う, 買える, 買われる} ために、貯金しています。
2) 旅行中にカメラを {とって, とれて, とられて} しまいました。
3) よく見える {ために, ように, のに}、前の方に座りましょう。
4) いろいろな人の考え方を知る {のは, のに, のを} おもしろいです。
5) やまと美術館でゴッホの展覧会が開かれている {のが, のに, のを} 知っていますか。
6) わたしは整理する {のが, のに, のを} 下手 {のが, のは, ので}、部屋を片づける {のが, のに, のを} とても時間がかかります。
7) わたしは小川さんに車で送って {やりました, くださいました, いただきました}。
8) わたしは息子を動物園へ連れて行って {やりました, くださいました, いただきました}。
9) 部長がわたしたちを食事に招待して {やりました, くださいました, いただきました}。
10) すみませんが、ちょっとコピーを手伝って {やりませんか, くださいませんか, いただきませんか}。
11) わたしは弟にカメラを {なくしてやりました, なくしてもらいました, なくされました}。

第43課

名前

1.
> 辛いです，幸せです，重いです，暇です，高いです，痛いです，便利です
> おもしろいです，悪いです，難しいです，まじめです，いいです

例：駅の前にできたスーパーは大きくて、買い物に<u>便利</u>そうですね。

1) あの女の子は足を踏まれて、_____そうですね。
2) 渡辺さんは_____そうです。コーヒーを飲みながら新聞を読んでいます。
3) この人形はお土産に_____そうです。
4) あしたの試験は_____そうですから、今晩勉強しなければなりません。
5) そのゲーム、_____そうですね。…ええ。やってみますか。
6) このカレーは_____そうですが、実はそんなに辛くないんです。
7) この指輪はとてもきれいですが、_____そうですね。値段を聞いてみましょうか。
8) あの二人は先月結婚したんです。とても_____そうですね。
9) 鈴木さん、気分が_____そうですね。疲れたんですか。
10) その荷物、_____そうですね。手伝いましょうか。

2.
> 減ります，壊れます，とれます，切れます，なくなります，上がります，います
> 終わります，落ちます，遅れます，降ります，破れます，売れます

例：しょうゆが<u>なくなり</u>そうですから、買っておきましょう。

1) 網棚の荷物が_____そうですね。危ないですね。
2) 約束の時間に_____そうですから、急ぎましょう。
3) ことしは海外旅行をする人が_____そうです。
4) 靴のひもが_____そうですから、新しいのを買わなければなりません。
5) このいすは_____そうですから、座らないでください。
6) この仕事は簡単ですから、すぐ_____そうです。
7) 今にも雨が_____そうですから、テニスはできませんね。
8) あ、ボタンが_____そうですよ。
9) 雨の日が続いているので、野菜の値段が_____そうです。
10) この靴下は古くて、_____そうです。
11) 新しい製品ができましたね。_____そうですか。

43

3. 例1：そのりんご、赤くて、大きくて、おいしそうですね。
　　　　…ええ、とてもおいしいですよ。田舎の母が送ってくれたんです。
　　例2：ことしは留学生が増えそうですか。
　　　　…そうですね。去年より増えると思いますよ。
　　1) あ、ミラーさん、久しぶりですね。＿＿＿＿＿＿＿＿そうですね。
　　　　…ええ、おかげさまで元気です。
　　2) 駅までどのくらいかかりますか。
　　　　…道が込んでいますから、30分ぐらい＿＿＿＿＿＿＿＿そうですね。
　　3) もうすぐ桜が＿＿＿＿＿＿＿＿そうですね。
　　　　…ええ、来週の初めには咲くでしょう。ことしは暖かいですから。
　　4) そのマンガ、＿＿＿＿＿＿＿＿そうですね。
　　　　…ええ、とてもおもしろいですよ。貸しましょうか。
　　5) 雨は＿＿＿＿＿＿＿＿そうですね。
　　　　…そうですね。もうすぐやむでしょう。空が明るくなりましたから。

4. 例：教室にケータイを忘れたので、取って来ます。
　　1) おなかがすいたので、コンビニでお弁当を＿＿＿＿＿＿＿＿＿＿＿＿＿＿
　　2) 会議室のエアコンを消すのを忘れたので、＿＿＿＿＿＿＿＿＿＿＿＿＿＿
　　3) かぎを掛けたかどうか、＿＿＿＿＿＿＿＿＿＿＿＿＿
　　4) 旅行に行ったら、お土産を＿＿＿＿＿＿＿＿＿＿＿＿＿＿くださいね。
　　5) 道がわからないので、あそこにいる人に＿＿＿＿＿＿＿＿＿＿＿＿＿＿

5. | います，あります，おきます，みます，来ます，しまいます |

　　例：空港へ友達を迎えに行って来ます。
　　1) カレンダーに約束の時間が書いて＿＿＿＿＿＿＿
　　2) きのうは日曜日でしたから、東京ディズニーランドはとても込んで＿＿＿＿
　　3) 電車に忘れ物をして＿＿＿＿＿＿＿
　　4) 会議のまえに、資料を見て＿＿＿＿＿＿＿ください。
　　5) すみません。この靴をはいて＿＿＿＿＿＿＿もいいですか。
　　6) いい天気なので、ちょっと公園を散歩して＿＿＿＿＿＿＿

第44課

名前

1. 例：（笑います…笑いすぎて）、涙が出てしまいました。

1）昼ごはんを（食べます…　　　　　　）、晩ごはんが食べられませんでした。
2）お酒を（飲みます…　　　　　　）ないようにしてください。
3）きのうテニスを（します…　　　　　　）ので、きょうは体が痛いです。
4）料理を（作ります…　　　　　　）、たくさん残ってしまいました。
5）鈴木さんは先月お金を（使います…　　　　　　）と言っていました。
6）このコピーは字が（小さいです…　　　　　　）し、薄いし、読めません。
7）ここは（静かです…　　　　　　）、ちょっと寂しいです。
8）このやり方は（複雑です…　　　　　　）ので、ほかの方法を考えましょう。
9）このカレーは（辛いです…　　　　　　）、食べられません。

2. 例1：ワット先生の話はわかりやすいです。
　　 例2：東京は物価が高くて、住みにくいです。

1）この靴は重くて、＿＿＿＿＿＿＿＿
2）この薬は小さくて、＿＿＿＿＿＿＿＿
3）「ツ」と「シ」は＿＿＿＿＿＿＿＿から、気をつけてください。
4）薄い紙は＿＿＿＿＿＿＿＿
5）このいすは硬くて、＿＿＿＿＿＿＿＿

> 飲みます
> 住みます
> わかります
> 変わります
> 歩きます
> 破れます
> 座ります
> まちがえます

3. 例：コピーの色が薄すぎますから、もう少し（濃いです…濃くして）ください。

1）ズボンが長すぎますから、もう少し（短いです…　　　　　　）ほうがいいですね。
2）こんなにたくさん食べられませんから、（半分です…　　　　　　）ください。
3）足を（丈夫です…　　　　　　）ために、毎日1時間ぐらい歩いています。
4）赤ちゃんが寝ていますから、テレビの音を（小さいです…　　　　　　）ください。
5）土曜日は都合が悪いので、（日曜日です…　　　　　　）いただけませんか。
6）このお菓子は冷蔵庫に入れて、（冷たいです…　　　　　　）と、おいしいですよ。
7）CDを聞いて、発音を（いいです…　　　　　　）たいと思います。
8）ちょっと高いですね。少し（安いです…　　　　　　）いただけませんか。

4.
> ツイン，和食，お菓子，5時ごろ，コーヒー，来週の火曜日
> きれい，短い，安い，大きい，静か，何，何時，どこ，いつ

例1：髪をもう少し短くしたいです。
例2：お土産は何にしますか。
　　　…お菓子にしようと思っています。

1) ホテルの食事は＿＿＿＿＿＿＿＿＿＿＿＿＿＿＿＿たいです。
2) テーブルの上を＿＿＿＿＿＿＿＿＿＿＿＿＿＿＿＿ください。
3) 飲み物は＿＿＿＿＿＿＿＿＿＿＿＿＿＿＿＿ください。
4) ホテルの部屋は＿＿＿＿＿＿＿＿＿＿＿＿＿＿＿＿つもりです。
5) 子どもが寝ているので、＿＿＿＿＿＿＿＿＿＿＿＿＿＿＿＿いただけませんか。
6) この図はもう少し＿＿＿＿＿＿＿＿＿＿＿＿＿＿＿＿ほうがいいと思います。
7) 値段を＿＿＿＿＿＿＿＿＿＿＿＿＿＿＿＿ば、もっと売れるかもしれません。
8) 出発の時間は＿＿＿＿＿＿＿＿＿＿＿＿＿＿＿＿か。
　　…＿＿＿＿＿＿＿＿＿＿＿＿＿＿＿＿ましょう。
9) 会議は＿＿＿＿＿＿＿＿＿＿＿＿＿＿＿＿か。
　　…＿＿＿＿＿＿＿＿＿＿＿＿＿＿＿＿ください。

5. わたしは今日本の会社で働いています。国の会社とどちらが（例：働きます…働き）やすいか、時々聞かれますが、ちょっと（a．答えます…　　　）にくいです。国の会社は日本の会社より夕方早く終わりますが、仕事は（b．簡単です…　　　）すぎて、おもしろくないです。わたしは今日本のニュースを翻訳して、国に送っています。複雑で、（c．わかります…　　　）にくいニュースを（d．短いです…　　　）するのは大変ですが、仕事は楽しいです。仕事をするのにパソコンが必要ですが、今使っているパソコンは古くて、（e．使います…　　　）にくいので、新しいのを（f．買います…　　　）と思っています。わたしは今の仕事が好きですが、（g．働きます…　　　）すぎると、（h．病気です…　　　）なるので、日曜日はゆっくり休みます。

第45課

名前

1. 例：コピー機が（故障しました…故障した）場合は、この番号に電話してください。

1）（雨です…　　　　　　　　　　）場合は、野球の練習はありません。

2）なかなか熱が（下がりません…　　　　　　　　　）場合は、
この薬を飲んでください。

3）体の調子が（悪いです…　　　　　　　　　）場合は、
キャンプに参加しないでください。

4）あしたの花火大会が（中止になりました…　　　　　　　　　　）場合は、
来週行います。

5）この旅行は参加する人が（30人以上です…　　　　　　　　　　）場合は、
安くなります。

6）予約を（キャンセルしたいです…　　　　　　　　　）場合は、
できるだけ早く連絡してください。

7）資料が（必要です…　　　　　　　　　）場合は、自分でコピーしてください。

8）保証書が（ありません…　　　　　　　　　）場合は、修理代がかかります。

2.

> 忘れました、まちがえました、やめたいです、地震です
> 間に合いません、無理です、海外旅行です、悪いです
> キャンセルします、調べます

例：地震の場合は、エレベーターを使わないでください。

1）電車にかばんを_____場合は、どうしたらいいですか。

2）書き方を_____場合は、新しい紙に書いてください。

3）途中でコピーを_____場合は、ここを押します。

4）レポートの締め切りに_____場合は、どうしたらいいですか。

5）今週部長の都合が_____場合は、会議は来週にしましょう。

6）修理が_____場合は、新しいのを買いましょう。

7）何かを_____場合は、まずインターネットを使います。

8）_____場合は、現金で持って行かないほうがいいです。

3. 例：もう会議が始まる時間です・林さんはまだ来ていません
　　　　…もう会議が始まる時間なのに、林さんはまだ来ていません。

1) キャンプの準備をしていました・雨で急に中止になりました
　　…＿＿＿＿＿＿＿＿＿＿＿＿＿＿＿＿＿＿＿＿＿＿＿＿＿＿

2) もう12月です・暖かい日が続いています
　　…＿＿＿＿＿＿＿＿＿＿＿＿＿＿＿＿＿＿＿＿＿＿＿＿＿＿

3) 父は歌が下手です・よくカラオケに行きます
　　…＿＿＿＿＿＿＿＿＿＿＿＿＿＿＿＿＿＿＿＿＿＿＿＿＿＿

4) 4月になりました・まだ桜が咲いていません
　　…＿＿＿＿＿＿＿＿＿＿＿＿＿＿＿＿＿＿＿＿＿＿＿＿＿＿

5) 雨が降っています・彼は釣りに行きました
　　…＿＿＿＿＿＿＿＿＿＿＿＿＿＿＿＿＿＿＿＿＿＿＿＿＿＿

6) きのうは日曜日でした・会社へ行かなければなりませんでした
　　…＿＿＿＿＿＿＿＿＿＿＿＿＿＿＿＿＿＿＿＿＿＿＿＿＿＿

7) このマンションは新しいです・よくエレベーターが故障します
　　…＿＿＿＿＿＿＿＿＿＿＿＿＿＿＿＿＿＿＿＿＿＿＿＿＿＿

8) 楽しみにしていました・病気で旅行に行けませんでした
　　…＿＿＿＿＿＿＿＿＿＿＿＿＿＿＿＿＿＿＿＿＿＿＿＿＿＿

9) きょうはそんなに寒くないです・あの人は厚いコートを着ています
　　…＿＿＿＿＿＿＿＿＿＿＿＿＿＿＿＿＿＿＿＿＿＿＿＿＿＿

4. 例1：かぜをひいた（ので）、テニスの試合に出られませんでした。
　　　例2：一生懸命練習した（のに）、テニスの試合に出られませんでした。

1) バスがなかなか来なかった（　　　）、遅くなってしまいました。
2) 書類にはんこが必要だった（　　　）、押さないで出してしまいました。
3) もう11時を過ぎた（　　　）、電話をかけないほうがいいです。
4) 財布をなくしてしまった（　　　）、友達にお金を借りました。
5) 1時間も待った（　　　）、友達が来なかった（　　　）、帰って来ました。

第46課

名前

1. 例：課長はもう帰りましたか。
　　　…たった今　帰る, 帰っている,(帰った)　ところです。

1) ニュースはもう始まっていますか。
　　…いいえ、ちょうど今から　始まる, 始まっている, 始まった　ところです。

2) もう昼ごはんを食べましたか。
　　…いいえ、これから　食べる, 食べている, 食べた　ところです。よかったら、いっしょに食べませんか。

3) もう論文を書きましたか。
　　…いいえ。今資料を　集める, 集めている, 集めた　ところなんです。

4) もしもし、今どこにいるんですか。
　　…空港です。たった今日本に　着く, 着いている, 着いた　ところです。

2. 例：日本へ来たばかりですから、まだ日本語が下手です。

1) さっき食事を＿＿＿＿＿＿＿＿＿ばかりなので、今おなかがいっぱいです。
2) 先月日本語の勉強を＿＿＿＿＿＿＿＿＿ばかりですから、まだあまり話せません。
3) 先週給料を＿＿＿＿＿＿＿＿＿ばかりなのに、もうなくなってしまいました。
4) たった今うちへ＿＿＿＿＿＿＿＿＿ばかりなのに、また出かけなければなりません。
5) さっき部屋を＿＿＿＿＿＿＿＿＿ばかりなのに、もう子どもが汚してしまいました。
6) 今メールを＿＿＿＿＿＿＿＿＿ばかりですから、まだ彼は見ていないかもしれません。

3. 例：3時にうちを出れば、4時半には（着きます…着く）はずです。

1) 彼は子どものときからフランスに住んでいましたから、フランス語が
　　（上手です…　　　　　）はずです。
2) 彼はきのう旅行に行きましたから、今うちに（いません…　　　　　）はずです。
3) 高橋さんにはけさ連絡しましたから、会議の時間を（知っています…　　　　　）はずです。
4) シュミットさんの息子さんはことし（12歳です…　　　　　）はずです。
5) 彼は来週（退院します…　　　　　）はずです。
6) この説明書を読めば、（わかります…　　　　　）はずなんですけど。
7) レストランの仕事は夕方は（忙しいです…　　　　　）はずです。

4. 例：彼は会社員ですか。…いいえ、学生のはずですよ。

1）課長の所へもう書類を持って行きましたか。

　　…いいえ、これから＿＿＿＿＿＿＿＿＿＿ところです。

2）台所のお皿はきれいですか。

　　…ええ、さっき＿＿＿＿＿＿＿＿＿＿ばかりですから、＿＿＿＿＿＿＿＿＿＿

　　はずです。

3）カリナさんは今部屋にいますか。

　　…いいえ、＿＿＿＿＿＿＿＿＿＿はずですよ。出かけると言っていましたから。

4）もう朝ごはんを食べましたか。

　　…いいえ、まだです。実はさっき＿＿＿＿＿＿＿＿＿＿ばかりなんです。

　　これから顔を＿＿＿＿＿＿＿＿＿＿ところです。

5）お待たせしました。遅れて、すみません。

　　…いいえ、わたしもたった今＿＿＿＿＿＿＿＿＿＿ところなんです。

6）松本部長はカラオケが好きですか。

　　…ええ、＿＿＿＿＿＿＿＿＿＿はずですよ。よくカラオケに行っていますから。

7）この部屋は暑いですね。

　　…ええ、今エアコンを＿＿＿＿＿＿＿＿＿＿ばかりなんです。すぐ涼しく

　　なりますよ。

8）この荷物、航空便でいつごろ届きますか。

　　…そうですね。来週の月曜日には＿＿＿＿＿＿＿＿＿＿はずです。

5. ばかり，ところ，はず

例：さっき聞いたばかりなのに、もう忘れてしまいました。

1）鈴木さんはタイに5年も住んでいましたから、タイ語が上手な＿＿＿＿＿＿です。

2）この赤ちゃんは先月生まれた＿＿＿＿＿＿ですから、まだミルクしか飲めません。

3）今部屋の掃除をしている＿＿＿＿＿＿ですから、ちょっと待ってください。

4）グプタさんは肉は食べない＿＿＿＿＿＿です。

5）この時計は1週間まえに、買った＿＿＿＿＿＿なのに、もう壊れてしまいました。

6）今うちを出る＿＿＿＿＿＿ですから、1時間後にはそちらに着くと思います。

第47課

名前

1. 例：きのう神戸（で）地震があったそうです。

1) 交差点（　）人（　）集まっていますね。事故（　）ようです。
2) 変な味（　）しますね。塩（　）砂糖をまちがえたようです。
3) 雨が降っているようです。外を歩いている人は傘（　）さしています。
4) わたしは彼の意見（　）賛成です。
5) 鈴木さんは大阪（　）転勤するそうです。
6) 最近新しい医学の論文をアメリカの雑誌（　）読みました。
7) 電気が消えていますから、だれ（　）いないようですね。

2. 例：あしたは雨が（降ります…降る）そうです。

1) きのう九州のホテルで火事が（ありました…　　　　　）そうです。
2) イーさんは夏休みに国へ（帰りません…　　　　　）そうです。
3) ミラーさんは会議のことを（知りませんでした…　　　　　）そうです。
4) ワット先生はきのうは（忙しかったです…　　　　　）そうです。
5) インドネシアのバリはとても（きれいです…　　　　　）そうです。
6) 火事の原因は子どもの（花火でした…　　　　　）そうです。
7) グプタさんの弟さんは日本へ（留学したいです…　　　　　）そうです。
8) 東京の人口は（増えています…　　　　　）そうです。

3. 例：あしたの天気はどうですか。（天気予報・曇りです）
　　　…天気予報によると、曇りだそうです。

1) 交通事故は増えているんですか。（警察の発表・減っています）
　　…いいえ、＿＿＿＿＿＿＿＿＿＿＿＿＿＿＿＿＿＿＿＿

2) 社長はいつアメリカへ行くんですか。（部長の話・来月の5日に行きます）
　　…＿＿＿＿＿＿＿＿＿＿＿＿＿＿＿＿＿＿＿＿＿＿＿＿

3) きれいな花の写真ですね。（この写真の説明・世界でいちばん大きい花です）
　　…＿＿＿＿＿＿＿＿＿＿＿＿＿＿＿＿＿＿＿＿＿＿＿＿

4) ワンさんはもう論文をまとめたんですか。（ワンさんの話・とても大変です）
　　…いいえ、まだだと思います。＿＿＿＿＿＿＿＿＿＿＿＿

4. 例：道が込んでいますね。(交通事故です…交通事故の) ようですね。

1) パトカーが止まっていますね。
あのうちに泥棒が (入りました…　　　　　) ようです。

2) この牛乳、変なにおいがしますね。ちょっと (古いです…　　　　　) ようです。

3) 頭も痛いし、熱もあるし、どうも (かぜです…　　　　　) ようです。

4) 彼はいつも一人で座っています。友達が (いません…　　　　　) ようです。

5) クララさんはすしを食べませんね。(嫌いです…　　　　　) ようです。

6) ハンス君はずっと勉強していますね。宿題がたくさん (あります…　　　　　) ようです。

7) きのうの飛行機事故では死んだ人は (いませんでした…　　　　　) ようです。

5. 例：あの犬は大きくて、(怖いです…怖) そうですね。
…ええ、友達に聞いたんですが、ほんとうに (怖いです…怖い) そうですよ。子どもをかんだそうです。

1) このケータイ、(使いやすいです…　　　　　) そうですが、使っている人の話によると、使い方が (複雑です…　　　　　) そうですよ。

2) 星がたくさん見えますから、あしたは天気が (いいです…　　　　　) そうですね。
…ええ、天気予報によると (いいです…　　　　　) そうですよ。

3) (遅れます…　　　　　) そうですよ。タクシーで行きましょう。

6. 例：あ、袋が ⦅破れそうです⦆, 破れるそうです, 破れるようです｜ から、新しいのをもらいましょう。

1) 外で大きい声がしますね。だれか ｜けんかしているようです, けんかしているそうです, けんかしそうです｜。

2) グプタさんに聞いたんですが、クララさんは来月国へ ｜帰るそうです, 帰りそうです, 帰ったようです｜。

3) 網棚の荷物が ｜落ちるそうです, 落ちそうです, 落ちるようです｜ から、きちんと載せてください。

4) 道がぬれています。ゆうべ雨が ｜降りそうです, 降ったようです, 降るそうです｜。

5) 新聞によると、世界の人口は70億人 ｜以上そうです, 以上だそうです, 以上のようです｜。

第48課

名前

1. 例

書きます	書かせます
1) 会います	
2)	働かせます
3) かけます	
4) コピーします	
5)	磨かせます

6) 来ます	
7)	守らせます
8) 捨てます	
9) 飲みます	
10)	確かめさせます
11) 下ろします	

2. 例1：わたしはいつも娘（を）買い物（に）（行きます…行かせます）。
　　 例2：先生は毎日学生（に）日本語のCD（を）（聞きます…聞かせます）。

1) 部長は鈴木さん（　　）アメリカ（　　）（出張しました…　　　　　　　）。
2) わたしは毎日息子（　　）皿（　　）（洗います…　　　　　　　　）。
3) 子どものとき、父はわたし（　　）剣道（　　）（習いました…　　　　　　　）。
4) わたしは電車の中では子ども（　　）（立ちます…　　　　　　　）います。
5) わたしは子ども（　　）食事のあとで、歯（　　）（磨きます…　　　　　　　　）

　　ようにしています。
6) わたしは子ども（　　）犬（　　）世話を（します…　　　　　　　）います。
7) 子ども（　　）お酒（　　）（飲みます…　　　　　　　　）はいけません。

3. 例：娘は塾に通っています。…わたしは娘を塾に通わせています。

1) わたしは日本へ留学しました。…父は＿＿＿＿＿＿＿＿＿＿＿＿＿＿＿＿＿＿＿＿＿＿＿
2) 子どもは好きな仕事をやります。

　　…わたしは＿＿＿＿＿＿＿＿＿＿＿＿＿＿＿＿＿＿＿＿＿＿＿＿＿＿＿＿たいです。
3) 生徒は毎日日記を書いています。…先生は＿＿＿＿＿＿＿＿＿＿＿＿＿＿＿＿＿＿
4) 息子は毎朝自分の部屋を掃除します。…わたしは＿＿＿＿＿＿＿＿＿＿＿＿＿＿
5) 鈴木さんは新しい製品について説明しました。…部長は＿＿＿＿＿＿＿＿＿＿＿＿
6) 授業のとき、学生は絶対に英語を使いません。

　　…先生は＿＿＿＿＿＿＿＿＿＿＿＿＿＿＿＿＿＿＿＿＿＿＿＿＿＿＿＿＿＿
7) 息子は1時間以上ゲームをしません。…わたしは＿＿＿＿＿＿＿＿＿＿＿＿＿
8) 子どもは自由に外で遊びます。…わたしは＿＿＿＿＿＿＿＿＿＿＿＿＿たいです。
9) ハンス君は毎日家で日本語の本を読んでいます。

　　…ハンス君のお母さんは＿＿＿＿＿＿＿＿＿＿＿＿＿＿＿＿＿＿＿＿＿＿＿＿

4. 例：その荷物、重そうですね。あとでだれか（に）（運びます…運ばせ）ましょうか。
　　…ええ、お願いします。

1) そろそろ失礼します。
　…そうですか。もう遅いですから、息子（　　）車で（送ります…　　　　　　　）。

2) もしもし、太郎君、いますか。
　…いいえ、今出かけています。あとで太郎（　　）電話を（します…　　　　　　　）。

3) もしもし、さっき駅に着いたんですが、タクシーが来ないんです。
　…すぐ娘（　　）車で（行きます…　　　　　　　　　）から、
　待っていてください。

5. 例：きょうの午後会議室を（使います…使わせて）いただけませんか。

1) すぐ答えられないので、少し（考えます…　　　　　　　　　）いただけませんか。
2) 申し込んでいなかったんですが、わたしもパーティーに
　（参加します…　　　　　　　　　）いただけませんか。
3) 少し熱があるので、早く（帰ります…　　　　　　　　　）いただけませんか。
4) 兄の結婚式で国へ帰りたいので、1週間ほど（休みます…　　　　　　　　　）
　いただけませんか。
5) 経済の資料を探しているんですが、最近のデータを
　（コピーします…　　　　　　　　　）いただけませんか。

6. 例：日本語が上手になりましたね。
　…ありがとうございます。
　　とてもいい先生に ｛教えさせました、⦅教えていただきました⦆｝から。

1) もう新幹線の切符を買いましたか。
　…ええ、息子に ｛買って来させました、買って来ていただきました｝。

2) この本はとてもいい本ですね。
　…そうですね。ぜひ子どもに ｛読んでもらいましょう、読ませましょう｝。

3) 初めて京都へ行ったんですか。
　…ええ。友達に ｛案内させました、案内してもらいました｝。

4) 日本語の先生は厳しいですか。
　…ええ、先生は授業中は日本語しか ｛使わせません、使ってもらいません｝。

第49課

名前

1. 例：お客様はもう（帰りました…帰られました）か。

1）先生はどちらで電車を（降ります…　　　　　　　）か。

2）いつかぎを（なくしました…　　　　　　　）んですか。

3）課長は今席を（外します…　　　　　　　）います。

4）部長はたった今（出かけました…　　　　　　　）ところです。

5）さっき先生が（説明しました…　　　　　　　）とおりに、やってみてください。

6）パワー電気のシュミットさんはあした10時に（来ます…　　　　　　　）

そうです。

2. 例：クララさんは日本の新聞をお読みになりますか。

…ええ、読みます。

1）先生、＿＿＿＿＿＿＿＿＿＿＿＿＿でしょう？

…ええ、少し疲れましたね。

2）部長はこの会社に何年ぐらい＿＿＿＿＿＿＿＿＿＿＿＿＿か。

…そうですね。30年ぐらい勤めました。

3）課長、会社に＿＿＿＿＿＿＿＿＿＿＿＿＿か。

…ええ、戻ろうと思っています。

4）その手帳、どちらで＿＿＿＿＿＿＿＿＿＿＿＿＿んですか。

…エドヤストアで買いました。

5）どのくらい＿＿＿＿＿＿＿＿＿＿＿＿＿か。

…30分ぐらい待ちました。

6）京都ではどちらに＿＿＿＿＿＿＿＿＿＿＿＿＿か。

…駅の近くのホテルに泊まりました。

7）部長はたばこを＿＿＿＿＿＿＿＿＿＿＿＿＿か。

…いいえ、わたしは吸いません。

8）課長、ＩＭＣの中村さんに電話を＿＿＿＿＿＿＿＿＿＿＿＿＿か。

…あ、いけない。まだかけていません。

9）パワー電気ではどなたと＿＿＿＿＿＿＿＿＿＿＿＿＿んですか。

…シュミットさんと話しました。

3. 例：あの部屋にだれかいますか。…はい、社長がいらっしゃいます。

1) 社長、昼ごはんは_____か。
   …ええ、もう食べました。

2) だれがカタログを届けろと言ったんですか。
   …部長が_____んです。

3) あの留学生の名前を_____か。
   …いいえ、知りません。

4) だれがこのチョコレートをくれたんですか。
   …ハンス君のお母様が_____んです。

5) 何かスポーツを_____か。
   …ええ、時々テニスをします。

6) この間のピカソの展覧会を_____か。
   …ええ、見ましたよ。

7) 何時までに会社へ来ればいいんですか。
   …9時までです。でも、社長は8時半に_____よ。

4.
| 掛けます, 集まります, 過ごします, 確認します, 答えます, 利用します |
| 参加します, 楽しみます, 入ります, 待ちます, 注意します |

例1：どうぞそのいすにお掛けください。
例2：来月のスキー旅行、どうぞ皆様ご参加ください。

1) 40階まで行く方はあちらのエレベーターを_____ください。
2) では、楽しい週末を_____ください。
3) お客様、忘れ物に_____ください。
4) あしたは8時までにロビーに_____ください。
5) 書類を出すまえに、お名前とご住所を_____ください。
6) ここは出口ですから、あちらから_____ください。
7) これから始まるコンサートをどうぞ_____ください。
8) 申し訳ありませんが、あと10分ほど_____ください。

第50課

名前

1. 例：私はパワー電気（に）勤めております。

1) 初めまして。林（　　）申します。
2) ミラーさんがスピーチコンテスト（　　）優勝したの（　　）ご存じですか。
3) 部長の奥様（　　）すき焼きの作り方（　　）教えていただきました。
4) この賞金は何（　　）お使いになりますか。
5) お名前は何（　　）おっしゃいますか。
6) 伊藤先生（　　）パーティー（　　）ご招待したいと思います。

2. 例1：タクシーを（呼びます…お呼びし）ましょうか。
例2：私が（案内します…ご案内し）ます。

1) 雨が降っていますね。傘を（貸します…　　　　　　　　　）ましょうか。
2) 私が皆さんに（連絡します…　　　　　　　　　）ました。
3) 先生、お茶を（いれます…　　　　　　　　　）ましたので、どうぞ。
4) 私が新しい製品について（説明します…　　　　　　　　　）ます。
5) 予定が変わったので、先生に（伝えます…　　　　　　　　　）おきました。
6) いつでも（手伝います…　　　　　　　　　）ますから、おっしゃってください。
7) この本を（借ります…　　　　　　　　　）もいいですか。
8) サイズが合わなければ、（取り替えます…　　　　　　　　　）ますよ。

3. 例：部長に借りた本はもうお返しになりましたか。…はい、もう<u>お返ししました</u>。

1) 中村課長にお会いになりましたか。…はい、＿＿＿＿＿＿＿＿＿＿＿＿＿＿＿
2) 先生のご都合をお聞きになりましたか。…はい、＿＿＿＿＿＿＿＿＿＿＿＿＿
3) 先生にお手紙をお出しになりましたか。…はい、＿＿＿＿＿＿＿＿＿＿＿＿＿
4) 皆さんにお知らせになりましたか。

　　…いいえ、まだです。あした＿＿＿＿＿＿＿＿＿＿＿＿＿＿＿＿＿つもりです。
5) 小川さんにお電話をおかけになりましたか。

　　…いいえ、これから＿＿＿＿＿＿＿＿＿＿＿＿＿＿＿＿＿ところです。
6) 社長は今席を外しておりますが、お待ちになりますか。

　　…はい、＿＿＿＿＿＿＿＿＿＿＿＿＿＿＿＿＿

4. 例：いつ京都へいらっしゃいますか。…あした参ります。

1) どなたがあいさつをなさいましたか。…私が＿＿＿＿＿＿＿＿＿＿＿＿＿＿＿＿＿

2) お父さんは何とおっしゃいましたか。
　　…父は何でも好きな仕事をしてもいいと＿＿＿＿＿＿＿＿＿＿＿＿＿＿＿＿＿

3) どうぞこちらの料理も召し上がってください。
　　…ありがとうございます。もうたくさん＿＿＿＿＿＿＿＿＿＿＿＿＿＿＿＿＿

4) これ、京都で撮ったお寺の写真ですが、ご覧になりますか。
　　…ええ、ぜひ＿＿＿＿＿＿＿＿＿＿＿＿＿＿＿＿＿＿たいです。

5) あそこに立っている方をご存じですか。
　　…いいえ、＿＿＿＿＿＿＿＿＿＿＿＿＿＿＿＿＿＿＿＿＿

6) 弟さんはどちらにいらっしゃいますか。
　　…ペキンに＿＿＿＿＿＿＿＿＿＿＿＿＿＿＿＿＿＿＿＿＿

5. 例：父はさ来週日本へ ｛いらっしゃいます、来られます、(参ります)｝。

1) 先生はパーティーの時間を ｛存じています、ご存じです、存じません｝ か。
2) また先生に ｛お目にかかりたい、拝見したい、ご覧になりたい｝ と思います。
3) 先生の予定は受付で ｛お聞きになって、お聞きして、伺って｝ ください。
4) わたしたちは来週先生のお宅へ ｛伺います、いらっしゃいます、来られます｝。
5) 先生は何と ｛お話ししました、申しました、おっしゃいました｝ か。
6) 私が旅行について ｛ご説明します、説明されます、説明なさいます｝。
7) グプタさんは刺身を ｛いただきません、召し上がりません、お食べしません｝。

6. ミラー：もしもし、松本さんの（例：うち…お宅）ですか。
　松　本：はい、松本でございます。
　ミラー：私はＩＭＣのミラーと（言います…a.　　　　　　　　）が、
　　　　　松本部長は（います…b.　　　　　　　　）か。
　松　本：主人は今（出かけています…c.　　　　　　　　）が……。
　ミラー：何時ごろ（帰ります…d.　　　　　　　　）か。
　松　本：夕方には帰る予定です。
　ミラー：では、７時ごろまた（電話します…e.　　　　　　　　）。
　　　　　（失礼します…f.　　　　　　　　）。

復習 (43～50課)　　　　　名前　　　　　　　　／100点

1. 例：ことしは去年（より）早く桜が咲きそうです。　　　　　　　　（1×25＝25）

1) 大学（　　）卒業してから、ずっとこの会社（　　）勤めております。
2) 子どもの声（　　）しますね。男の子（　　）ようです。
3) 食事は和食（　　）洋食（　　）どちら（　　）しますか。
4) あと15分ぐらい（　　）終わりそうですから、待ってください。
5) 母は妹（　　）買い物（　　）行かせました。
6) 晩ごはんはすき焼き（　　）しようと思っています。
7) シャツ（　　）ボタン（　　）とれそうですよ。
8) この字の大きさ（　　）2倍（　　）したいんですが……。
9) 娘（　　）塾（　　）通わせます。
10) 交通事故（　　）あって、足（　　）けがをしました。
11) 先生は絶対に学生（　　）英語（　　）使わせません。
12) 部長の息子さんは医者（　　）はずです。
13) いろいろ教えてくださった皆様（　　）心から感謝いたします。
14) どうぞこのいす（　　）お掛けください。
15) このコップは丈夫で、子どもが使うの（　　）安全でいいです。

2. 例：先週修理したエアコンの（具合），方法，原因　はいかがですか。　　（1×10＝10）

1) 電気製品には｜保険証，保証書，領収書｜が付いています。
2) 最近の｜データ，ファイル，ガイド｜によると、日本の輸出は減っているそうです。
3) この｜引き出し，かばん，ふろしき｜はポケットがたくさんあって、使いやすいです。
4) パソコンの故障の｜目的，原因，調子｜を調べています。
5) わたしは｜濃い，厚い，太い｜コーヒーが好きです。
6) ｜あまり，どうも，もっと｜エンジンの調子が悪いようです。
7) 肉や魚が食べられない人のために、｜特別な，十分な，丈夫な｜料理を作りました。
8) ここにある辞書はだれでも｜急に，上手に，自由に｜使えます。
9) マラソン大会で｜1号，1位，1便｜になれなくて、残念でした。
10) 昼ごはんはいつも会社の食堂で食べていますが、｜特に，急に，たまに｜
　　レストランへ食べに行きます。

59

3. 例：網棚の荷物が（落ちます…落ち）そうです。　　　　　　　　　　(1×15＝15)

1) ニュースによると、北海道で大きな地震が（ありました…　　　　）そうです。
2) きのう（歩きました…　　　　）すぎて、きょうは足が痛いです。
3) 白い服は（汚れます…　　　　）やすいです。
4) あの二人、（楽しいです…　　　　）そうですね。
　　…ええ。この間（結婚しました…　　　　）ばかりなんです。
5) この書類、字が小さくて、（読みます…　　　　）にくいですね。
6) この料理は（冷たいです…　　　　）して召し上がってください。
7) ちょっと飲み物を買いに（行きます…　　　　）来ます。
8) 会社を（休みます…　　　　）場合は、必ず電話をかけてください。
9) 先月日本語の勉強を（始めます…　　　　）ばかりなのに、ずいぶん上手ですね。
10) ちょうど今から（食事します…　　　　）ところです。いっしょに
　　いかがですか。
11) グプタさんは先週国へ帰りましたから、今日本に（いません…　　　　）
　　はずです。
12) あそこの交差点、人が大勢集まっていますね。事故が（ありました…　　　　）
　　ようです。
13) わたしにこの仕事を（やります…　　　　）いただけませんか。
　　…じゃ、お願いします。
14) 先生は毎週月曜日に学生に日曜日のことを（話します…　　　　）ので、
　　学生は準備しておかなければなりません。

　　　　　　　　　　　　　　　　　　　　　　　　　　　　(2×16＝32)

4.
```
いらっしゃいます、召し上がります、おっしゃいます、お目にかかります、申します
なさいます、いたします、拝見します、ご覧になります、くださいます、おります
参ります、伺います、ご存じです、いただきます、存じます、お会いになります
```

例：日本でどんな所へいらっしゃいましたか。…京都や奈良へ参りました。

1) 先月生まれた赤ちゃんのお名前は何と＿＿＿＿＿＿んですか。
　　…太郎と＿＿＿＿＿＿
2) 伊藤先生がおかきになった絵をもう＿＿＿＿＿＿か。
　　…はい、きのう＿＿＿＿＿＿

3) 奥様、ワインを＿＿＿＿＿＿＿か。
　　…ええ、少し＿＿＿＿＿＿＿

4) あしたの卒業式でどなたがあいさつを＿＿＿＿＿＿＿か。
　　…私が＿＿＿＿＿＿＿

5) 日曜日お宅へ＿＿＿＿＿＿＿もいいですか。
　　…ええ、どうぞ。日曜日はたいていうちに＿＿＿＿＿＿＿から。

6) 部長のお宅の電話番号を＿＿＿＿＿＿＿か。
　　…いいえ、＿＿＿＿＿＿＿

7) きのうお国からあなたの先生が＿＿＿＿＿＿＿そうですね。
　　…ええ、先生がお土産に国のお菓子を＿＿＿＿＿＿＿ので、
　　いっしょにいかがですか。

8) 先週のパーティーで部長の奥様にお会いしましたが、あなたも＿＿＿＿＿＿＿か。
　　…はい、私も＿＿＿＿＿＿＿

5. 例：課長はもう<u>帰られました</u>か。…いいえ、まだ<u>お帰りになりません</u>。　　　　（1×7＝7）

1) ワット先生は日本語を上手に＿＿＿＿＿＿＿そうですね。
　　…ええ。それに韓国語も少し<u>お話しになります</u>。

2) 先生はどちらへ＿＿＿＿＿＿＿んですか。
　　…国際会議のために、ニューヨークへ<u>お出かけになった</u>んです。

3) きのうは部長はかぜで<u>休まれました</u>。
　　…そうですか。かぜで＿＿＿＿＿＿＿んですか。

4) 松本部長は何時ごろ<u>戻られます</u>か。
　　…4時ごろ＿＿＿＿＿＿＿予定です。

5) 山田さんはほんとうに会社をやめられたんですか。
　　…ええ、結婚なさるので、先月＿＿＿＿＿＿＿

6) 松本部長はうちを<u>建てられた</u>そうですね。
　　…ええ、すばらしいうちを＿＿＿＿＿＿＿んですよ。

7) ミラーさんはたばこを＿＿＿＿＿＿＿か。
　　…いいえ、<u>お吸いにならない</u>と思います。

6. よう、そう、はず、ところ　　　　　　　　　　　(1×11＝11)

例：ミラーさん、駅までどのくらいかかり<u>そう</u>ですか。
　　…そうですね。道が込んでいますから、2時間ぐらいかかると思いますよ。

1) 引っ越しの準備は終わりましたか。
　　…いいえ、今やっている_____です。

2) その電子辞書は便利_____ですね。
　　…ええ、とても便利ですよ。

3) グプタさんの弟さんは日本語が上手なんですか。
　　…ええ、上手な_____ですよ。10年以上日本語を勉強したと言っていましたから。

4) カリナさんの誕生日はいつですか。
　　…4月10日だ_____ですよ。

5) 電気も消えているし、かぎも掛かっているし、グプタさんはいない_____です。
　　…残念ですね。また来ましょう。

6) 今ケーキを焼いた_____です。いっしょに食べませんか。
　　…わあ、おいし_____ですね。

7) 駅前のスーパー、きょうは休みですか。
　　…ええ、水曜日ですから、休みの_____ですよ。

8) さっき山田さんに聞いたんですが、あしたの会議はない_____ですよ。

9) タワポンさんが泣いていますね。どうしたんですか。
　　…よくわかりませんが、試験に失敗した_____です。

10) 遅くなってすみません。パーティーはもう始まりましたか。
　　…いいえ、これから始まる_____です。

復習 (26〜50課)

名前　　　　　　　　　／100点

1. 例：電車の事故（で）試験（に）遅れてしまいました。　　　（1×15＝15）

1) 変なにおい（　　）しますね。ちょっと見て来ます。
2) 部長は鈴木さん（　　）3日間休ませました。
3) この歌手は若い人（　　）人気があります。
4) 宇宙（　　）興味があるんですが、いい本を教えていただけませんか。
5) 祖父はフランス旅行のお土産（　　）チョコレートをくれました。
6) 世界の平和（　　）ために、働きたいと思います。
7) 小川さんは80歳（　　）過ぎても、毎日運動しています。
8) エアコンが故障（　　）場合は、この番号に連絡してください。
9) 忘年会はいつ（　　）しますか。
10) この漢字は何（　　）読みますか。
11) すみませんが、ミラーさん（　　）あしたの会議は中止になった（　　）伝えていただけませんか。
12) ビールは麦（　　）造られます。
13) もう少し大きい声（　　）言っていただけませんか。
14) イーさんは留守（　　）ようです。

2. 例：日本語が（上手⇔下手）です。　　　（2×10＝20）

1) このズボンは（細い⇔　　　　　）です。
2) この川の水は（きれい⇔　　　　　）です。
3) ここは（危険⇔　　　　　）だと思います。
4) （西⇔　　　　　）の空が赤いです。
5) ここは（入口⇔　　　　　）です。
6) わたしはその意見に（反対⇔　　　　　）です。
7) ことしは石油の（輸入⇔　　　　　）が増えました。
8) 実験に（失敗しました⇔　　　　　）。
9) 車の窓が（開いて⇔　　　　　）います。
10) コピー機の電源を（入れて⇔　　　　　）おいてください。

(1×15=15)

3. 例：天気予報によると、あした雨が ｛(降るそうです)，降りそうです，降るようです｝。

1) この花は今にも ｛咲くそうです，咲きそうです，咲いたばかりです｝。
2) この新しい家具は、祖父に買って ｛もらった，くださった，いただいた｝ んです。
3) ちょっと早すぎたので、ここで ｛待たれてくださいませんか，待たせていただけませんか，お待ちしてくださいませんか｝。
4) 国へ ｛帰ると，帰ったら，帰れば｝、必ず手紙を書きます。
5) 日本からタイまで6時間ですから、3時の飛行機に乗れば、9時には ｛着くはずです，着くようです，着くそうです｝。
6) この靴、ちょっとはいて ｛おいて，みて，しまって｝ もいいですか。
7) わたしは新しいカメラを弟に ｛なくされてしまいました，なくさせてしまいました，なくしてしまいました｝。
8) 来年も日本語の勉強を ｛続けそう，続けよう，続けるよう｝ と思っています。
9) このいすは壊れて ｛あります，います，おきます｝。
10) 先生は今晩お宅に ｛おりますか，なさいますか，いらっしゃいますか｝。
11) 少々 ｛お待ちください，お待ちしてください，お待たれください｝。
12) きのうのパーティーで食べすぎて ｛おきました，みました，しまいました｝。
13) 田中先生に ｛お会いしたいんですが，お会いになりたいんですが，会われたいんですが｝……。
14) わたしは娘に英語を ｛習われて，習わせて，お習いして｝ います。
15) 来年大学院の試験を受けますか。…今 ｛考える，考えている，考えた｝ ところです。

4. 例：タクシーに（乗ります…乗ら）ないで、駅まで歩きました。　　(1×20=20)

1) わたしは一人で着物が（着ます…　　　　　　）ません。
2) たばこを吸わないでください。ここは（禁煙です…　　　　　　）んです。
3) お茶でも（飲みます…　　　　　　）ながら相談しませんか。
4) この店は味も（いいです…　　　　　　）し、店の人も（親切です…　　　　　　）し、それに安いんです。
5) わたしは留学を（あきらめます…　　　　　　）と思っています。
6) 健康のために、できるだけ（運動します…　　　　　　）ほうがいいです。
7) ちょっと（遅れます…　　　　　　）かもしれませんから、先にミーティングを始めてください。

8) 家族に（会えません…　　　　　　　）、寂しいです。
9) （食事します…　　　　　　　）あとで、歯を磨いてください。
10) 天気が（いいです…　　　　　　　）ば、屋上から海が見えます。
11) あそこで寝ている猫、気持ちが（いいです…　　　　　　　）そうですね。
12) コンビニで24時間買い物が（できます…　　　　　　　）ようになりました。
13) 泥棒にカメラを（とりました…　　　　　　　）。
14) （邪魔です…　　　　　　　）ので、この荷物を片づけてください。
15) あしたは何時に（来られます…　　　　　　　）か、わかりません。
16) 切符を（なくします…　　　　　　　）ないようにしてください。
17) そのかばん、（重いです…　　　　　　　）そうですね。お持ちしましょうか。
18) コピーが薄いので、もう少し（濃いです…　　　　　　　）してください。
19) カリナさんは（独身です…　　　　　　　）のに、子どもの世話をするのが上手です。

5. 例：体の ｛都合, ⓒ調子, 様子｝ が悪いので、あした病院へ行きます。　　　　　（1×10=10）

1) この仕事は ｛実験, 試験, 経験｝ がなくてもできます。
2) ミラーさん、政治に ｛趣味, 興味, 意味｝ がありますか。
3) この花はいい ｛色, 味, におい｝ がしますね。
4) 部長に来週の ｛スケジュール, ミーティング, クリーニング｝ を聞いてみます。
5) 試験の ｛目的, 成績, 経験｝ が悪かったので、もっと勉強しなければなりません。
6) ｛急に, 自由に, 上手に｝ 来週の予定が変わりました。
7) ｛ちょっと, ずっと, ちょうど｝ 今から講義が始まるところです。
8) ｛やっと, きっと, ずっと｝ 日本語で電話がかけられるようになりました。
9) あの人がかぶっている帽子、すてきですね。
   わたしも ｛こんな, そんな, あんな｝ 帽子が欲しいと思っていたんです。
10) このエアコン、修理に3万円ぐらいかかりますよ。
    … ｛それで, それなら, それに｝ 新しいのを買ったほうがいいかもしれませんね。

6. 例：優勝おめでとうございます。…（ b ）　　　　　　　　　　（1×10＝10）

1) お先に失礼します。…（　）
2) あ、いけない。…（　）
3) なくした財布がやっと見つかりました。…（　）
4) あのう、お願いがあるんですが。…（　）
5) いすを並べましょうか。…（　）
6) （　）…ええ、かまいませんよ。
7) （　）…それはいけませんね。
8) （　）…これをやってしまいますから、お先にどうぞ。
9) （　）…それはおめでとうございます。
10) （　）…すみません。お願いします。

a．いいえ、そのままにしておいてください。
b．ありがとうございます。
c．大学に合格しました。
d．はい、何ですか。
e．そろそろ帰りませんか。
f．どうしたんですか。
g．傘、お貸ししましょうか。
h．きのう弟が入院したんです。
i．お疲れさまでした。
j．あさって休ませていただけませんか。
k．よかったですね。

　　　　　　　　　　　　　　　　　　　　　　　　　　　　（1×10＝10）

7. 例：｛暑ければ（○），暑かったら（○），暑いと（×）｝、窓を開けてください。

1) 北海道へ｛行けば（　），行ったら（　），行くと（　）｝写真を撮って来ます。
2) ｛暇だったら（　），暇で（　），暇なら（　）｝遊びに来てください。
3) けさ学校へ｛来たとき（　），来るとき（　），来る場合は（　）｝、駅で先生に会いました。
4) 電話番号を｛まちがえると（　），まちがえたら（　），まちがえれば（　）｝、どうすればいいですか。
5) ｛寒くて（　），寒くても（　），寒いので（　）｝、窓を閉めていただけませんか。
6) 日本の経済について論文を｛書くために（　），書くのに（　），書くように（　）｝日本へ来ました。
7) すみませんが、これを林さんに届けて｛もらいませんか（　），いただけませんか（　），あげませんか（　）｝。
8) 先生、お荷物を｛持たれましょうか（　），お持ちになりましょうか（　），お持ちしましょうか（　）｝。
9) ちょっとうちに電話を｛かけたい（　），おかけしたい（　），おかけになりたい（　）｝んですが……。
10) あそこに｛お立ちしている（　），立っている（　），立っていらっしゃる（　）｝のは母です。

66

執筆協力者
大越泰子
　　元財団法人アジア学生文化協会留学生日本語コース校長

堤　由子
　　日本語教師

本文イラスト
　向井直子

表紙イラスト
　さとう恭子

装丁デザイン
　山田武

みんなの日本語　初級Ⅱ　第2版
標準問題集

1999年11月12日　初版第1刷発行
2013年6月19日　第2版第1刷発行
2025年4月8日　第2版第13刷発行

編著者　スリーエーネットワーク
発行者　藤嵜政子
発　行　株式会社スリーエーネットワーク
　　　　〒102-0083　東京都千代田区麹町3丁目4番
　　　　　　　　　　トラスティ麹町ビル2F
　　　　電話　営業　03（5275）2722
　　　　　　　編集　03（5275）2725
　　　　https://www.3anet.co.jp/
印　刷　日本印刷株式会社

ISBN978-4-88319-663-0　C0081
落丁・乱丁本はお取替えいたします。
本書の全部または一部を無断で複写複製（コピー）することは著作権法上での例外を除き、禁じられています。
「みんなの日本語」は株式会社スリーエーネットワークの登録商標です。

みんなの日本語シリーズ

みんなの日本語 初級I 第2版

- 本冊（CD付） .... 2,750円（税込）
- 本冊 ローマ字版（CD付） .... 2,750円（税込）
- 翻訳・文法解説 .... 各2,200円（税込）
  英語版／ローマ字版【英語】／中国語版／韓国語版／ドイツ語版／スペイン語版／ポルトガル語版／ベトナム語版／イタリア語版／フランス語版／ロシア語版（新版）／タイ語版／インドネシア語版／ビルマ語版／シンハラ語版／ネパール語版
- 教え方の手引き .... 3,080円（税込）
- 初級で読めるトピック25 .... 1,540円（税込）
- 聴解タスク25 .... 2,200円（税込）
- 標準問題集 .... 990円（税込）
- 漢字 英語版 .... 1,980円（税込）
- 漢字 ベトナム語版 .... 1,980円（税込）
- 漢字練習帳 .... 990円（税込）
- 書いて覚える文型練習帳 ..... 1,430円（税込）
- 導入・練習イラスト集 .... 2,420円（税込）
- CD 5枚セット .... 8,800円（税込）
- 会話DVD .... 8,800円（税込）
- 会話DVD　PAL方式 .... 8,800円（税込）
- 絵教材CD-ROMブック .... 3,300円（税込）

みんなの日本語 初級II 第2版

- 本冊（CD付） .... 2,750円（税込）
- 翻訳・文法解説 .... 各2,200円（税込）
  英語版／中国語版／韓国語版／ドイツ語版／スペイン語版／ポルトガル語版／ベトナム語版／イタリア語版／フランス語版／ロシア語版（新版）／タイ語版／インドネシア語版／ビルマ語版／シンハラ語版／ネパール語版
- 教え方の手引き .... 3,080円（税込）
- 初級で読めるトピック25 .... 1,540円（税込）
- 聴解タスク25 .... 2,640円（税込）
- 標準問題集 .... 990円（税込）
- 漢字 英語版 .... 1,980円（税込）
- 漢字 ベトナム語版 .... 1,980円（税込）
- 漢字練習帳 .... 1,320円（税込）
- 書いて覚える文型練習帳 ..... 1,430円（税込）
- 導入・練習イラスト集 .... 2,640円（税込）
- CD 5枚セット .... 8,800円（税込）
- 会話DVD .... 8,800円（税込）
- 会話DVD　PAL方式 .... 8,800円（税込）
- 絵教材CD-ROMブック .... 3,300円（税込）

みんなの日本語 初級 第2版

- やさしい作文 .... 1,320円（税込）

みんなの日本語 中級I

- 本冊（CD付） .... 3,080円（税込）
- 翻訳・文法解説 .... 各1,760円（税込）
  英語版／中国語版／韓国語版／ドイツ語版／スペイン語版／ポルトガル語版／フランス語版／ベトナム語版
- 教え方の手引き .... 2,750円（税込）
- 標準問題集 .... 990円（税込）
- くり返して覚える単語帳 ..... 990円（税込）

みんなの日本語 中級II

- 本冊（CD付） .... 3,080円（税込）
- 翻訳・文法解説 .... 各1,980円（税込）
  英語版／中国語版／韓国語版／ドイツ語版／スペイン語版／ポルトガル語版／フランス語版／ベトナム語版
- 教え方の手引き .... 2,750円（税込）
- 標準問題集 .... 990円（税込）
- くり返して覚える単語帳 ..... 990円（税込）

- 小説 ミラーさん
  ―みんなの日本語初級シリーズ―
- 小説 ミラーさんII
  ―みんなの日本語初級シリーズ―
  .... 各1,100円（税込）

スリーエーネットワーク

ウェブサイトで新刊や日本語セミナーをご案内しております。
https://www.3anet.co.jp/

解答

みんなの日本語　初級Ⅱ　第2版　標準問題集

・省略できる部分は〔　〕に入れました。
・正答が複数ある場合は／で区切って示し、答えがいろいろ考えられる場合は例として示しました。

第26課　1ページ

1. 1) の, に　2) に　3) が
   4) に　5) の, の, に
2. 1) 食べない, している
   2) 遅れた, 故障した
   3) 来なかった, 悪かった
   4) 休みじゃない　5) 病気な
   6) 書く, 下手な
3. 1) ずいぶん　2) 今度, どこか
   3) そんな, 売り場
4. 1) 痛いんです。　2) ないんです。
   3) 撮ったんです。
   4) やっているんです。／
   　しているんです。
   5) 上手じゃないんです。／
   　好きじゃないんです。／
   　できないんです。
5. 1) 結婚するんです,
   　あげたらいいですか
   2) 痛いんです, 飲んだらいいですか
   3) 行きたいんです,
   　かいていただけませんか
   4) しなければならないんです,
   　手伝っていただけませんか
   5) 習いたいんです,
   　紹介していただけませんか
   6) 書いたんです,
   　見ていただけませんか
   7) 故障なんです, したらいいですか
   8) できないんです,
   　待っていただけませんか

第27課　3ページ

1. 1) 見ます, 見られる
   2) 建てられます, 建てられる
   3) 立ちます, 立てる
   4) 走ります, 走れます
   5) 借りられます, 借りられる
   6) 捜します, 捜せる
   7) 連絡できます, 連絡できる
   8) 起きられます, 起きられる
   9) 置きます, 置ける
   10) 開きます, 開けます
   11) 来られます, 来られる
   12) 着ます, 着られる
   13) 飼います, 飼えます
   14) 換えられます, 換えられる
   15) 呼びます, 呼べる
2. 1) 作れます。／できます。
   2) 覚えられません。　3) 会えますか。
   4) 行けませんでした。
3. 1) 自分で自転車が修理できますか。
   2) あの人の名前が思い出せません。
   3) あした10時ごろ来られると思います。
   4) 一人で病院へ行けなかったんです。
   5) 10時までに帰れたら、
   　電話をください。
   6) タワポンさんは泳げないと
   　言いました。
4. 1) に, が　2) から, が　3) が
   4) で　5) は, に
5. 1) しかありません。
   2) しか作れません。
   3) しか寝られませんでした。
   4) しか飲みませんでした。
6. 1) 住所はわかりますが、
   　電話番号はわかりません
   2) ゴルフは好きですが、
   　ほかのスポーツは好きじゃありません
   3) ミルクは入れますが、

砂糖は入れません
　4）とり肉は食べますが、
　　　牛肉や豚肉は食べません
　5）古いのは借りられますが、
　　　新しいのは借りられません

第28課　5ページ

1．1）読み　2）かみ　3）働き　4）し
　　5）食べ
2．1）乗っています　2）買っています
　　3）見ていました　4）読んでいました
　　5）したりしています
3．1）ない，話せない
　　2）まじめだ，熱心だ
　　3）近い，きれいだ
4．1）おいしい，簡単だ，それに
　　2）形もいい，色もきれいだ，それに
　　3）値段も安い，店の人もとても
　　　　親切です，それで
　　4）教え方も上手だ，ユーモアもある，
　　　　それに，それで
5．1）も痛い，もある
　　2）もすいた，もかわいた
　　3）[も]遠い，も少ない／もない
　　4）も悪い／もよくない，もない
　　5）もいい／もきれいだ，も上手だ／
　　　　もできる
6．a．食べた　b．飲んだ　c．して
　　d．いた　e．歌い

第29課　7ページ

1．1）は，まで　2）に，を　3）に，が
　　4）に　5）で　6）に
2．1）木の枝　2）シャツ　3）ボタン
　　4）割れました　5）壊れて

3．1）ついています　2）汚れています
　　3）消えています／ついていません
　　4）故障しています／壊れています
　　5）開いています
　　6）掛かっていました
　　7）止まっている　8）入っている
4．1）食べてしまいました。
　　2）読んでしまいました
　　3）してしまいます／やってしまいます
　　4）書いてしまいます。
　　5）出かけてしまいました
5．1）結婚してしまいました。
　　2）捨ててしまいました。
　　3）破れてしまった
　　4）落としてしまった
　　5）売れてしまいました。
　　6）まちがえてしまった

第30課　9ページ

1．1）の　2）が　3）に，を
　　4）の，に，が　5）の，に，を
　　6）とか，とか
2．1）テーブルが置いて
　　2）人形が飾って／人形が置いて
　　3）ポスターがはって
　　4）カレンダーが掛けて　5）つけて
　　6）閉めて
3．1）あの箱に入れてあります。
　　2）玄関に置いてあります。
　　3）地下の駐車場に止めてあります。
　　4）ドアの左に掛けてあります。
4．1）見て　2）予約して　3）入れて
　　4）洗って
5．1）戻して／置いて／しまって
　　2）消して　3）閉めて

4）して／やって
6．1）おいて　2）ありません
　　3）あります，おいて　4）おか
　　5）おき　6）いる，います，いません。

第31課　11ページ

1．1）続けよう　2）戻します
　　3）休憩しよう　4）起きよう
　　5）置きます　6）持って来よう
　　7）残ろう　8）降ります　9）使おう
　　10）見つけよう　11）並べます
　　12）選ぼう　13）持とう
2．1）時間がないから、急ごう。
　　2）おいしいワインをもらったから、
　　　いっしょに飲もう。
　　3）カリナさんがまだ来ていないから、
　　　もう少し待とう。
　　4）暑いから、エアコンをつけておこう。
　　5）あしたは休みだから、
　　　東京スカイツリーに行かない？，
　　　行こう。
　　6）あの喫茶店に入らない？，そうしよう。
3．1）勉強しよう　2）連れて行こう
　　3）飼おう　4）作ろう　5）借りよう
4．1）続ける　2）受けない　3）行く
　　4）しない
5．1）4時に終わる　2）2時までの
　　3）支店へ行く
　　4）1週間北海道を旅行する
　　5）50人ぐらいの
6．1）来ていません，来る
　　2）話していません，話す
　　3）決めていません，決めよう

第32課　13ページ

1．1）に　2）が　3）に，を
　　4）で　5）を，で　6）を，が
2．1）行った　2）飲まない
　　3）持って行った　4）しない
　　5）聞いた
3．1）独身　2）足りる　3）休めない
　　4）来る　5）寒くない　6）大変
4．1）間に合わない　2）降る
　　3）忘れ物　4）無理　5）やめる
　　6）おかしい　7）続く
5．1）帰れない，連絡した
　　2）忙しい，やってしまった
　　3）安くなる，買わない
　　4）仕事のストレス，無理をしない

第33課　15ページ

1．1）乗ります，乗れ
　　2）見ます，見るな　3）飲め，飲むな
　　4）出ろ，出るな
　　5）出します，出すな
　　6）運動します，運動しろ
　　7）浴びろ，浴びるな
　　8）行きます，行くな
　　9）連れて来い，連れて来るな
　　10）待ちます，待て
2．1）は，と　2）に，と　3）に，に
　　4）は，を　5）に
3．1）しろ　2）あきらめるな　3）読め
　　4）遅れるな
4．1）お金を払わなくてもいい
　　2）たばこを吸うな／
　　　たばこを吸ってはいけない
　　3）今使っている
　　4）入るな／入ってはいけない

5．1）もうすぐ終わる
　　2）出席できない
　　3）あまりよくない　4）修理は無理だ
　　5）駐車違反の罰金を15,000円払った
6．1）林さんに15分ぐらい遅れる
　　2）ミラーさんに5時までに会社に
　　　戻れない
　　3）山田さんに次のミーティングは
　　　来週の木曜日だ
　　4）サントスさんにみんな元気だ
　　5）カリナさんにインドネシアのお菓子は
　　　とてもおいしかった

復習（26〜33課）17ページ

1．1）借りられる，借りよう，借りるな
　　2）あきらめよう，あきらめろ
　　3）話せる，話せ，話すな
　　4）運転できる，運転しよう
　　5）来られる，来よう，来い
　　6）置ける，置け，置くな
　　7）起きよう，起きるな
　　8）立て，立つな
2．1）に　2）に，が　3）で　4）が
　　5）に，に　6）は，は　7）も，も
　　8）が，に　9）の，に，が
　　10）の　11）で　12）に，と
　　13）に，に，と
3．1）つかない，連絡した
　　2）静かだ，多い，安い
　　3）入れて，並べて　4）行かない
　　5）なくして　6）働き，勉強しよう
　　7）習おう　8）通う，大変
　　9）すいて，着く　10）休んだ
　　11）しない　12）来て，来る
　　13）出席できない

　　14）使ってはいけない　15）来られる
4．1）始まります　2）続きます
　　3）閉まります　4）片づけます
　　5）止めます
5．1）かぜ　2）病気　3）切手
　　4）ちゃわん　5）眼鏡
6．1）ああ，よかった　2）お先にどうぞ
　　3）それはいけませんね
　　4）ちょっとお願いがあるんですが
7．1）直接　2）今度　3）いつか
　　4）ずいぶん　5）たいてい
　　6）ずっと　7）何でも　8）いつでも
　　9）確か　10）しばらく　11）まだ
　　12）もう　13）まだ　14）あと，ほど
　　15）しか　16）そんなに
　　17）それに，それで　18）実は

第34課　21ページ

1．1）に　2）を　3）の，の
　　4）か，の，を，に
2．1）先生が言ったとおりに、
　　　書きました。
　　2）この図のとおりに、
　　　いすと机を並べてください。
　　3）赤い線のとおりに、
　　　紙を折ってください。
　　4）佐藤さんが説明したとおりに、
　　　やってください。
　　5）ミラーさんに教えてもらった
　　　とおりに、ケーキを作りました。
3．1）食事の　2）出した　3）講義の
　　4）した　5）帰った　6）結婚式の
4．1）はって　2）かぶって　3）入れて
　　4）書いて　5）着て，して
5．1）入れて　2）持たないで

3) 消さないで　4) 予約して
6. 1) 行かないで　2) 乗らないで
　　3) 買わないで　4) 帰らないで
　　5) 休まないで　6) 決めないで
7. 1) 座って　2) かけながら
　　3) かけて　4) 押しながら
　　5) 待たないで　6) 急いで
　　7) 入らないで　8) 乗って, 降りると

第35課　23ページ

1. 1) が　2) に, を　3) から, が
　　4) に, は　5) に, が
2. 1) 話せれば　2) もらわなければ
　　3) 安ければ　4) 平日なら
　　5) 無理なら　6) 要らなければ
　　7) 引けば
3. 1) 新しいコピー機の使い方が
　　　わからないんですが、
　　　だれに聞けばいいですか。
　　2) 大学院の試験を受けたいんですが、
　　　いつまでに申し込めばいいですか。
　　3) お葬式に行くんですが、
　　　どんな服を着て行けばいいですか。
4. 1) 行けば　2) 無理なら
　　3) 料理教室なら, よければ
5. 1) わからなければ
　　2) 乗らなければ／乗れなければ
　　3) 取れば　4) 咲けば　5) なければ
　　6) 寝れば
6. 1) ○, ×　2) ×, ○　3) ○, ×
　　4) ○, ○　5) ×, ○　6) ○, ○

第36課　25ページ

1. 1) に, ×, を　2) を, ×
　　3) に, ×　4) ×, に

2. 1) 起きられる　2) 忘れない
　　3) 飲める　4) 書ける　5) ひかない
3. 1) 使える　2) 置ける　3) 着られる
　　4) かけられる　5) 住める
4. 1) 歩ける　2) 書けません。
　　3) 言える　4) 作れません。
　　5) 泳げる
5. 1) やっと, わかる
　　2) 絶対に, 吸わない
　　3) できるだけ, 起きる
　　4) 必ず, 磨く
　　5) できるだけ, かけない
6. 1) ○, ×　2) ○, ○　3) ○, ○
　　4) ○, ×　5) ○, ×

第37課　27ページ

1. 1) 汚されます, 汚される
　　2) 注意します, 注意される
　　3) 行います, 行われます
　　4) 呼ばれます, 呼ばれる
　　5) 決めます, 決められる
　　6) 連れて来ます, 連れて来られます
　　7) 読まれます, 読まれる
　　8) 見ます, 見られる
2. 1) を, に　2) に　3) から
　　4) に, を　5) を, に　6) に, を
　　7) で　8) から
3. 1) 発明されました。　2) 開かれます。
　　3) 建てられました。　4) 壊される
　　5) 発見される
4. 1) わたしは渡辺さんにデートに
　　　誘われました。
　　2) 泥棒は警官に連れて行かれました。
　　3) わたしはカリナさんに大学院の
　　　試験について聞かれました。

4) 山田さんは課長に資料のコピーを
頼まれました。
5) わたしは子どもに新しいスーツを
汚されました。
6) わたしは犬に足をかまれました。
7) わたしはだれかに傘を
まちがえられました。
5．1) 飼われています。
2) 輸出されています。
3) 読まれています。
4) 食べられています。
5) 言われています。
6．1) 踏まれました
2) 送ってもらいました
3) 貸してもらいました
4) とられました　5) 診てもらった

第38課　29ページ

1．1) に　2) の, を　3) を
4) に, が　5) に, を
2．1) 勉強するのは　2) 着て行くのは
3) あるのは　4) 伝えるのは
5) 運ぶのは
3．1) 例：友達と旅行するのは
2) 例：たばこをたくさん吸うのは
3) 例：朝早く海岸を散歩するのは
4) 例：難しいです。
5) 例：危ないです。
4．1) ことしは桜が咲くのが遅いです。
2) わたしは整理するのが下手です。
3) 子どもはけがが治るのが
早いです。
4) マリアさんはプレゼントを選ぶのが
上手です。
5) わたしは込んでいる電車に乗るのが

嫌いです。
5．1) はるのを　2) 切るのを
3) 掛けるのを　4) 書くのを
6．1) 合格したのを　2) 買ったのを
3) 飼えないのを　4) 退院するのを
5) 入院したのを　6) 書いているのを
7．1) 作るのは　2) とられたのは
3) 好きなのは　4) 難しいのは
5) よかったのは

第39課　31ページ

1．1) で, が　2) に, に　3) に
4) を
2．1) 台風で　2) わからなくて
3) 遅れて　4) 会えなくて
5) いなくて　6) 暑くて　7) 会って
8) 火事で　9) 邪魔で
10) 出席できなくて
3．1) あって, 間に合いませんでした。
2) うるさくて, 寝られませんでした。
3) 複雑で, 覚えられません。
4) 速くて, わかりません。
4．1) ある　2) わからない
3) 足りなかった　4) する
5) 邪魔な　6) 高い　7) 特急な
8) 時間じゃない
9) 出張しなければならない
10) 好きじゃない
5．1) 地震で電車が止まってしまったので,
うちへ帰れませんでした。
2) テニスをして, 疲れたので,
きょうは早く寝ます。
3) この荷物は重くて, 一人で
持てないので, 手伝ってください。
4) 足が痛くて, 歩けなかったので,

タクシーで帰りました。
6. 1) うれしかったです　2) 困ります
　 3) 恥ずかしいです　4) すみません
　 5) 寝られませんでした

第40課　33ページ

1. 1) ケーキが何個あるか、
　　　数えてください。
　 2) シュミットさんはどんな料理が
　　　好きか、知りたいです。
　 3) ワットさんはどうして
　　　来なかったか、わかりますか。
　 4) このカメラはいくらだったか、
　　　覚えていません。
　 5) この手紙は重さが25グラム以下か
　　　どうか、量ってください。
　 6) この答えは正しいかどうか、
　　　もう一度考えてください。
2. 1) 必要かどうか　2) 辛いかどうか
　 3) 出席するかどうか　4) 何日までか
　 5) まちがいがないかどうか
　 6) 何をあげるか
　 7) どうやって作ったか
3. 1) ちょうどいいかどうか、
　　　はいてみます。
　 2) サイズが合うかどうか、
　　　かぶってみます。
　 3) 足が痛くないかどうか、
　　　はいて歩いてみます。
　 4) 来るかどうか、聞いてみてください。
　 5) どんな店か、入ってみました。
4. 1) かけてみた　2) 食べてみて
　 3) 登ってみ　4) 着てみて
　 5) 聞いてみ　6) 読んでみ
　 7) 飲んでみ

5. 1) 裏　2) 申し込み　3) 大きさ
　 4) 号　5) 成績

第41課　35ページ

1. 1) に, が　2) に, を　3) に, を
　 4) の, を　5) を, に
2. 1) くれました。　2) あげた
　 3) くださった　4) いただいた
　 5) もらった
3. 1) あげました。　2) いただきました。
　 3) くれました。　4) いただいて
　 5) やら　6) もらいました。
　 7) くださいました。
4. 1) 教えていただきました。
　 2) 買ってやりました。　3) かいて
　　　くださいました　4) 案内してやる
　 5) 直してくれました。　6) 修理して
　　　もらった　7) 選んでいただいた
5. 1) 吸ってくださいませんか。
　 2) 押してくださいませんか。
　 3) 見てくださいませんか。
　 4) 伝えてくださいませんか。
6. 1) いただいた　2) やろう
　 3) くださいました　4) くれた

第42課　37ページ

1. 1) で, を　2) に, を　3) が, に
　 4) の, の
2. 1) 瓶のふたを開けるのに使います。
　 2) 材料を混ぜるのに使います。
　 3) 熱を測るのに使います。
　 4) お祝いのお金を入れるのに使います。
　 5) 電車の時間を調べるのに使います。
3. 1) 散歩にいいです。
　 2) 漢字の読み方を調べるのに

役に立ちます。
　3）治るのに2か月かかりました。
　4）旅行に便利です。
4．1）参加する　2）勉強している人の
　3）乗る　4）平和の
　5）困っている人の　6）何の
　7）育てる
5．1）例：日本の経済について勉強する
　2）例：日本の会社で働く
　3）例：子どもの教育の
　4）例：健康の
6．1）ために　2）ように　3）ために
　4）ために　5）ように　6）ように

復習（34～42課）39ページ

1．1）の　2）の　3）に　4）か
　5）で　6）に　7）を　8）で
　9）に　10）に，を　11）に
　12）に　13）に　14）で，に　15）の
　16）とか，とか　17）に　18）に，が
　19）に
2．1）表　2）以上　3）南　4）簡単
　5）きれい　6）うれしい
　7）退院します　8）しかります
　9）［雨が］やみます
　10）［電源を］切ります
3．1）確認する　2）まちがえられない
　3）した　4）説明した，失敗し
　5）正しい，確かめる　6）できて
　7）暑けれ　8）送る，使う
　9）書いた　10）合う，着て　11）通う
　12）する，大切な，何，考えて
　13）集める，使え，集められる
4．1）先に　2）さっき　3）もっと
　4）絶対に　5）このごろ　6）必ず

　7）かなり　8）初めに　9）この間
　10）一生懸命，やっと　11）きちんと
　12）途中で　13）できるだけ
　14）ところで　15）それなら
5．1）お幸せに
　2）これで終わりましょう　3）さあ
　4）よかったですね
　5）お先に失礼します，お疲れさまでした
6．1）興味　2）様子　3）教育
　4）目的　5）高さ　6）ずつ　7）代
　8）冊　9）個　10）杯
7．1）買う　2）とられて　3）ように
　4）のは　5）のを
　6）のが，ので，のに
　7）いただきました　8）やりました
　9）くださいました
　10）くださいませんか
　11）なくされました

第43課　43ページ

1．1）痛　2）暇　3）よさ　4）難し
　5）おもしろ　6）辛　7）高
　8）幸せ　9）悪　10）重
2．1）落ち　2）遅れ　3）減り
　4）切れ　5）壊れ　6）終わり
　7）降り　8）とれ　9）上がり
　10）破れ　11）売れ
3．1）元気　2）かかり　3）咲き
　4）おもしろ　5）やみ
4．1）買って来ます。　2）消して来ます。
　3）見て来ます。／確かめて来ます。
　4）買って来て　5）聞いて来ます。
5．1）あります。　2）いました。
　3）しまいました。　4）おいて
　5）みて　6）来ます。

第44課　45ページ

1. 1）食べすぎて　2）飲みすぎ
   3）しすぎた　4）作りすぎて
   5）使いすぎた　6）小さすぎる
   7）静かすぎて　8）複雑すぎる
   9）辛すぎて
2. 1）歩きにくいです。
   2）飲みやすいです。
   3）まちがえやすいです
   4）破れやすいです。
   5）座りにくいです。
3. 1）短くした　2）半分にして
   3）丈夫にする　4）小さくして
   5）日曜日にして　6）冷たくする
   7）よくし　8）安くして
4. 1）和食にし　2）きれいにして
   3）コーヒーにして　4）ツインにする
   5）静かにして　6）大きくした
   7）安くすれ
   8）何時にします，5時ごろにし
   9）いつにします，来週の火曜日にして
5. a．答え　b．簡単　c．わかり
   d．短く　e．使い　f．買おう
   g．働き　h．病気に

第45課　47ページ

1. 1）雨の　2）下がらない　3）悪い
   4）中止になった　5）30人以上の
   6）キャンセルしたい　7）必要な
   8）ない
2. 1）忘れた　2）まちがえた
   3）やめたい　4）間に合わない
   5）悪い　6）無理な　7）調べる
   8）海外旅行の
3. 1）キャンプの準備をしていたのに、
   雨で急に中止になりました。
   2）もう12月なのに、
   暖かい日が続いています。
   3）父は歌が下手なのに、
   よくカラオケに行きます。
   4）4月になったのに、
   まだ桜が咲いていません。
   5）雨が降っているのに、
   彼は釣りに行きました。
   6）きのうは日曜日だったのに、会社へ
   行かなければなりませんでした。
   7）このマンションは新しいのに、
   よくエレベーターが故障します。
   8）楽しみにしていたのに、
   病気で旅行に行けませんでした。
   9）きょうはそんなに寒くないのに、
   あの人は厚いコートを着ています。
4. 1）ので　2）のに　3）ので
   4）ので　5）のに，ので

第46課　49ページ

1. 1）始まる　2）食べる
   3）集めている　4）着いた
2. 1）した　2）始めた　3）もらった
   4）帰った／帰って来た
   5）掃除した　6）送った
3. 1）上手な　2）いない
   3）知っている　4）12歳の
   5）退院する　6）わかる　7）忙しい
4. 1）持って行く　2）洗った，きれいな
   3）いない　4）起きた，洗う
   5）来た　6）好きな　7）つけた
   8）届く
5. 1）はず　2）ばかり　3）ところ
   4）はず　5）ばかり　6）ところ

第47課 51ページ

1. 1）に，が，の　2）が，と　3）を
   4）に　5）に　6）で　7）も
2. 1）あった　2）帰らない
   3）知らなかった　4）忙しかった
   5）きれいだ　6）花火だった
   7）留学したい　8）増えている
3. 1）警察の発表によると、
   　減っているそうです。
   2）部長の話によると、
   　来月の5日に行くそうです。
   3）この写真の説明によると、世界で
   　いちばん大きい花だそうです。
   4）ワンさんの話によると、
   　とても大変だそうです。
4. 1）入った　2）古い　3）かぜの
   4）いない　5）嫌いな　6）ある
   7）いなかった
5. 1）使いやす，複雑だ　2）よさ，いい
   3）遅れ
6. 1）けんかしているようです
   2）帰るそうです　3）落ちそうです
   4）降ったようです
   5）以上だそうです

第48課 53ページ

1. 1）会わせます　2）働きます
   3）かけさせます　4）コピーさせます
   5）磨きます　6）来させます
   7）守ります　8）捨てさせます
   9）飲ませます　10）確かめます
   11）下ろさせます
2. 1）を，へ，出張させました
   2）に，を，洗わせます
   3）に，を，習わせました
   4）を，立たせて
   5）に，を，磨かせる
   6）に，の，させて
   7）に，を，飲ませて
3. 1）わたしを日本へ留学させました。
   2）子どもに好きな仕事をやらせ
   3）生徒に毎日日記を書かせています。
   4）息子に毎朝自分の部屋を
   　掃除させます。
   5）鈴木さんに新しい製品について
   　説明させました。
   6）授業のとき、学生に絶対に英語を
   　使わせません。
   7）息子に1時間以上ゲームを
   　させません。
   8）子どもを自由に外で遊ばせ
   9）ハンス君に毎日家で日本語の
   　本を読ませています。
4. 1）に，送らせます
   2）に，させます
   3）を，行かせます
5. 1）考えさせて　2）参加させて
   3）帰らせて　4）休ませて
   5）コピーさせて
6. 1）買って来させました
   2）読ませましょう
   3）案内してもらいました
   4）使わせません

第49課 55ページ

1. 1）降りられます　2）なくされた
   3）外されて　4）出かけられた
   5）説明された　6）来られる
2. 1）お疲れになった
   2）お勤めになりました

3）お戻りになります
4）お買いになった
5）お待ちになりました
6）お泊まりになりました
7）お吸いになります
8）おかけになりました
9）お話しになった

3．1）召し上がりました
2）おっしゃった　3）ご存じです
4）くださった　5）なさいます
6）ご覧になりました
7）いらっしゃいます

4．1）ご利用　2）お過ごし　3）ご注意
4）お集まり　5）ご確認　6）お入り
7）お楽しみ　8）お待ち

第50課　57ページ

1．1）と　2）で，を　3）に，を
4）に　5）と　6）を，に

2．1）お貸しし　2）ご連絡し
3）おいれし　4）ご説明し
5）お伝えして　6）お手伝いし
7）お借りして　8）お取り替えし

3．1）お会いしました。
2）お聞きしました。
3）お出ししました。4）お知らせする
5）おかけする　6）お待ちします。

4．1）いたしました。　2）申しました。
3）いただきました。　4）拝見し
5）存じません。　6）おります。

5．1）ご存じです　2）お目にかかりたい
3）お聞きになって　4）伺います
5）おっしゃいました
6）ご説明します
7）召し上がりません

6．a．申します
b．いらっしゃいます
c．出かけております
d．お帰りになります／帰られます
e．お電話します／電話いたします
f．失礼いたします

復習（43〜50課）　59ページ

1．1）を，に　2）が，の
3）と，と，に　4）で　5）を，に
6）に　7）の，が　8）を，に
9）を，に　10）に，に　11）に，を
12）の　13）に　14）に　15）に

2．1）保証書　2）データ　3）かばん
4）原因　5）濃い　6）どうも
7）特別な　8）自由に　9）1位
10）たまに

3．1）あった　2）歩き　3）汚れ
4）楽し，結婚した　5）読み
6）冷たく　7）行って　8）休む
9）始めた　10）食事する　11）いない
12）あった　13）やらせて
14）話させる

4．1）おっしゃる，申します。
2）ご覧になりました，拝見しました。
3）召し上がります，いただきます。
4）なさいます，いたします。
5）伺って，おります
6）ご存じです，存じません。
7）いらっしゃった，くださった
8）お会いになりました，
お目にかかりました。

5．1）話される　2）出かけられた
3）お休みになった
4）お戻りになる

5）おやめになりました。
　　　6）お建てになった　7）吸われます
6．1）ところ　2）そう　3）はず
　　　4）そう　5）よう　6）ところ，そう
　　　7）はず　8）そう　9）よう
　　　10）ところ

復習（26〜50課） 63ページ

1．1）が　2）を　3）に　4）に
　　　5）に　6）の　7）を　8）の
　　　9）に　10）と　11）に，と　12）から
　　　13）で　14）の
2．1）太い　2）汚い　3）安全　4）東
　　　5）出口　6）賛成　7）輸出
　　　8）成功しました　9）閉まって
　　　10）切って
3．1）咲きそうです　2）もらった
　　　3）待たせていただけませんか
　　　4）帰ったら　5）着くはずです
　　　6）みて　7）なくされてしまいました
　　　8）続けよう　9）います
　　　10）いらっしゃいますか
　　　11）お待ちください　12）しまいました
　　　13）お会いしたいんですが
　　　14）習わせて　15）考えている
4．1）着られ　2）禁煙な　3）飲み
　　　4）いい，親切だ　5）あきらめよう
　　　6）運動した　7）遅れる
　　　8）会えなくて　9）食事した
　　　10）よけれ　11）よさ　12）できる
　　　13）とられました　14）邪魔な
　　　15）来られる　16）なくさ　17）重
　　　18）濃く　19）独身な
5．1）経験　2）興味　3）におい
　　　4）スケジュール　5）成績
　　　6）急に　7）ちょうど
　　　8）やっと　9）あんな
　　　10）それなら
6．1）i　2）f　3）k　4）d
　　　5）a　6）j　7）h　8）e
　　　9）c　10）g
7．1）×，○，×　2）○，×，○
　　　3）×，○，×　4）×，○，×
　　　5）×，×，○　6）○，×，×
　　　7）×，○，×　8）×，×，○
　　　9）○，×，×　10）×，○，×